Sammlung Luchterhand 194

Georg Lukács

Skizze einer Geschichte der neueren deutschen Literatur

Luchterhand

Herausgegeben von Frank Benseler

Sammlung Luchterhand, April 1975.
Lektorat: Antonius Lind.
Umschlagkonzeption: Hannes Jähn.

Gesamtherstellung: Druck- und Verlags-Gesellschaft mbH,
Darmstadt
ISBN 3-472-61194-4

Vorwort zur Neuausgabe

Diese Studien sind im letzten Kriegsjahr, nicht allzu lange Zeit vor meiner Rückkehr nach Ungarn, in Moskau entstanden. Ursprünglich wurden sie in der Zeitschrift »Internationale Literatur Deutsche Blätter« veröffentlicht, dann in zwei separaten Heften beim Aufbau-Verlag, Berlin; erst 1953 wurden sie im selben Verlag als einheitliches Buch herausgegeben. Dies Buch erschien seitdem in italienischer, französischer, ungarischer und japanischer Sprache. Es ist als eine kurze, populäre und propagandistische Zusammenfassung geschrieben worden, ohne jeden Anspruch auf Vollständigkeit in Thematik und Darstellungsweise; zudem hat die Stimmung der Entstehungszeit, das Fehlen vieler neuer Werke in den Bibliotheken einen gewissen Einfluß ausgeübt. Trotzdem ist, wie ich glaube, auch nach fast zwei Jahrzehnten nur in den letzten Kapiteln einiges problematisch geworden. Ich will hier kurz auf einige wichtige dieser problematischen Fragen den Leser im voraus aufmerksam machen.

Zunächst: Das Buch betont die reaktionär-inhumanen Züge der Dichtung von George und Rilke sehr schroff. Selbstverständlich meine und meinte ich nicht, daß damit das Lebenswerk dieser Dichter erschöpfend charakterisiert wäre. Die besondere Betonung entspringt der damaligen Atmosphäre, stammt aus den Stimmungen des Krieges gegen Hitler-Deutschland. Ich glaube aber auch heute, daß diese Momente in der auf diese Dichter bezüglichen Literatur im allgemeinen entweder verschwiegen oder bagatellisiert werden. Ihre hier vielleicht übertreibend prägnante Betonung behält also heute nur den Akzent der Mahnung: *auch* diese Seite ihrer poetischen Persönlichkeit nicht zu ignorieren.

Die zweite Bemerkung betrifft Hermann Hesse. Ich muß gestehen, damals war mir seine ganze spätere Produktion vom »Steppenwolf« bis zum »Glasperlenspiel« unbekannt. Nur darum fehlt er in dem von mir gezeichneten Bild der deutschen Literatur.

Endlich und vor allem muß ich auf Brecht eingehen. Zu seiner Produktion am Anfang der dreißiger Jahre sowie zu seinen Theorien stand ich ablehnend. Das spiegelt sich in diesem Buche. Erst als ich nach meiner Heimkehr mit Stücken wie »Der gute Mensch von Sezuan«, »Mutter Courage« usw. bekannt wurde, änderte sich meine Anschauung von Grund aus. Ich wollte immer wieder über die dabei auftauchenden Probleme einen gründlichen Essay schreiben; die Umstände gestatteten es nicht; nur in freundschaftlichen Privatgesprächen mit Brecht selbst habe ich diese Anschauungen zum Ausdruck gebracht. Das kleine Buch »Wider den mißverstandenen Realismus« (Hamburg 1958) ist aus einem Vortrag entstanden, dessen Rahmen und Umfang es nicht gestattete, auf diese Fragen einzugehen. Die endgültige Niederschrift geschah nach meiner Rückkehr aus der rumänischen Internierung, wegen meiner damals höchst prekären Lage, so überhastet, daß es wieder nicht dazu kam, Brecht zu behandeln. Erst für die englische Ausgabe dieses Buches schrieb ich eine kleine Einführung, die sich mit der Produktion O'Neill, Elsa Morante, Thomas Wolfe und Brecht befaßt. Um meinen späteren Standpunkt wenigstens anzudeuten, lasse ich das auf Brecht Bezügliche hier folgen.

»Auch bei Brecht ist der große Realismus ein Entwicklungsproblem. Hier kann natürlich nicht die ganze Frage aufgerollt werden; wir müssen in der Mitte beginnen, mit den Anfängen seiner kommunistischen Periode, für welche Stücke wie »Die Maßnahme« oder die Dramatisierung von Gorkis »Mutter« beispielhaft sind. Überall verwandelt sich die politisch-soziale Pädagogik, das Lehren des Richtigen, das dichterisch allzu direkte gedankliche Wirkenwollen auf den Rezeptiven über Bühne und Zuschauerraum hinaus die Figuren der Dramen in einfache Sprachrohre der verkündeten Doktrin. Brecht kehrt sich in bewußter Asketik von jeder Gefühlswirkung ab, richtet seinen ganzen Haß, seine tiefste Verachtung auf das »Kulinarische« des bürgerlichen Theaters. Die philosophisch-psychologische Theorie der schlechten Kunst unserer Zeit, die Theorie der sogenannten Einfühlung wird zum Kristallisationspunkt dieser Ablehnung. Unmittelbar hat Brecht darin, auch bei höchster Radikalität, ganz recht, er begeht nur den in unserer Zeit so häufigen Irrtum – den vor ihm der Kunsthistoriker Worringer eindrucksvoll und einflußreich formuliert hat –, diese Einfühlung auch als Prinzip der großen alten Kunst und ihrer Ästhetik aufzufassen. Brecht übersieht, daß sich zwar die Durchschnittsstenotypistin in ihre Kollegin auf der Leinwand, die den Generaldirektor heiratet, »einfühlt«, auch der Bourgeoisjüngling in Schnitzlers »Anatol« etc. etc., daß sich aber nie jemand in Antigone oder König Lear »eingefühlt« hat. Diese Theorie Brechts und seine soeben erwähnte Dramatik ist in einer unmittelbar, aber bloß unmittelbar gerechten Polemik gegen seine Zeit entstanden. Mit der Machtergreifung Hitlers, in der langen Emigration hat sich jedoch der Dramatiker Brecht grundlegend gewandelt – freilich ohne seine Theorie im wesentlichsten zu verändern. Da wir hier keinen Raum haben, alle diese Probleme eingehend zu analysieren, deuten wir die Atmosphäre der Wandlung bloß durch zwei Gedichte aus der Emigration an. Das erste lautet:

An meiner Wand hängt ein japanisches Holzwerk,
Maske eines bösen Dämons, bemalt mit Goldlack.
Mitfühlend sehe ich
Die geschwollenen Stirnadern, andeutend
Wie anstrengend es ist, böse zu sein.

Als zweites Beispiel seien einige Zeilen aus dem wundervollen Gedicht »An die Nachgeborenen« angeführt:

Dabei wissen wir doch:
Auch der Haß gegen die Niedrigkeit
Verzerrt die Züge.
Auch der Zorn über das Unrecht
Macht die Stimme heiser. Ach, wir,
Die wir den Boden bereiten wollten für Freundlichkeit,
Konnten selber nicht freundlich sein.

Damit tritt das Motiv der Ethik, die innere Beschaffenheit, Handlungsweise und Substantialität des einzelnen Menschen in den Gesichtskreis von Brecht ein, selbstverständlich ohne die politisch-soziale Hauptrichtung seines Interesses zu trüben, im Gegenteil, um diesem eine bisher nicht vorhandene Breite und Tiefe, eine wahrhafte intensive Unendlichkeit zu verleihen. Große Verehrer der theoretischen Hauptlinie Brechts sehen sich gezwungen, darauf hinzuweisen, daß einzelne Stücke dieser Periode, vor allem »Die Gewehre der Frau Carrar« und »Leben des Galilei« sich in wichtigen künstlerischen Momenten der alten, abgelehnten Aristotelischen Dramaturgie stark annähern. Ohne auf die Bedeutung dieser Tatsache hier näher eingehen zu können, werfen wir einen Blick auf jene Dramen, in denen eine derartige Rückwendung zu früher verurteilten Überlieferungen nicht erfolgt, vor allem auf »Mutter Courage und ihre Kinder«, auf den »Kaukasischen Kreidekreis«, auf den »Guten Menschen von Sezuan«. Es handelt sich fraglos um Lehrstücke, episches Theater, die künstlerisch-bewußt auf den »Anti-Aristotelismus«, auf den »Verfremdungseffekt« angelegt sind. Stellt man sie jedoch neben Werke wie »Die Maßnahme«, so wird bereits auf den ersten Blick sichtbar, daß an die Stelle der eingleisigen sozialen Befreiung die vielschichtige Dialektik von Gut und Böse tritt. Das Soziale erscheint als allseitig-widersprüchliches Menschheitsproblem, dessen Bereich die inneren Gegensätze beider kämpfenden Lager umfaßt. Damit erhalten die einst bloß richtige und falsche Lehren verkündenden Figuren eine bewegte Vieldimensionalität lebender, mit ihrer Umwelt und mit sich ringender Menschen; die einst allegorische Bedeutsamkeit versinnlicht und versinnbildlicht sich zu einer bewegten dramatischen Typik. Damit erhebt sich auch der Verfremdungseffekt aus der Abstraktheit und Gekünsteltheit der reinen und doch ästhetisch intentionierten Pädagogik auf weltliterarische Höhe: es ist ja das Wesen einer jeden großen Dramatik, sich über das bloß erlebende Bewußtsein der handelnden Menschen zu erheben und für das konkrete große Menschheitsproblem einen dichterisch verallgemeinernden Ausdruck zu finden. (Man denke an den Chor bei Aischylos und Sophokles, an einzelne Monologe von Hamlet, Othello, Lear etc.) Diese Seite tritt beim späten Brecht mit der zwingenden Notwendigkeit der ethisch-dialektischen Problemstellung, der Schaffung mehrdimensionaler, widersprüchlich-lebender Typen immer stärker in den Vordergrund, und die bewußt festgehaltene Kontinuität der Erscheinungsform mit der früher festgelegten Theorie kann die prinzipielle Wendung nicht aus der Welt schaffen. So nähert sich auch die Szenik des epischen Theaters innerlich immer mehr der Shakespeareschen: der Bruch mit dem Milieutheater, mit der stimmungschaffenden Kulissenwelt ist ein Bruch mit der den Naturalismus immer streifenden Milieutheorie im Namen einer Dramatik, die bedeutsame sozial-ethische Typen in ihrer Widersprüchlichkeit, in ihrem Kampf mit den großen Zeitmächten gestaltet. Der reife Brecht hat so die in ihrer Übersteigerung ins Falsche umschlagende Theorie dichterisch-praktisch hinter sich gelassen und ist der größte realistische Dramatiker seiner Zeit geworden. Auch der einflußreichste. Und in seiner Wirkung zeigt sich wieder, wie irreführend es ist, solche Fragen rein ästhetisch zu formulieren, indem man die Werke von der ästhetischen Theorie ausgehend interpretiert, anstatt umgekehrt die Theorie vom Ideengehalt und der inneren Form der Werke. Denn Theorie und Praxis von Brecht haben sowohl prätentionsvoll-leere Spielereien in der Art von Ionesco wie auch wichtige Anläufe zu einem zeitgemäß-realistischen Drama, etwa den »Besuch der alten Dame« von Dürrenmatt inspiriert. Eine solche Verworrenheit, entsprungen aus der formalistisch primären Betonung des in diesem Zusammenhang abstrakt gewordenen Formmoments der Literatur ist heute noch immer für Theorie und Praxis äußerst einflußreich. (Daß Brecht seiner Weltanschauung und Formgebung nach ein sozialistischer Dichter ist, ändert an diesen Betrachtungen nichts Wesentliches, da sein hier geschilderter Einfluß auf dem Kampffeld von kritischem Realismus und avantgardistischem Antirealismus wirksam war und ist.)«

Budapest, November 1963

Vorwort

Dieses Buch ist seinem Inhalt nach kein neues. Seine beiden Teile (»Fortschritt und Reaktion in der deutschen Literatur« und »Deutsche Literatur im Zeitalter des Imperialismus«) sind als separate Bändchen vor Jahren erschienen und sind als solche in mehreren Auflagen herausgegeben worden. Wenn sie jetzt als einheitliches Werk, als eine kurze Geschichte der neueren deutschen Literatur ins Publikum gelangen, so handelt es sich dabei um etwas mehr als eine bloß buchtechnische Vereinigung. Vor allem sind sie schon ursprünglich einheitlich konzipiert. Als sie – im Winter 1944/45 in Moskau – entstanden und als Artikelserie in der »Internationalen Literatur – Deutsche Blätter« gedruckt wurden, war es ihr gemeinsames, zusammenhaltendes Ziel, eine, wenn auch noch so skizzenhafte, einheitliche Übersicht über die deutsche Literatur von der Aufklärung bis heute zu geben. Und die Ausgaben in anderen Sprachen – ungarisch und französisch – entsprachen tatsächlich dieser ursprünglichen Absicht des Verfassers. Es waren vorwiegend technische Gründe, die die bisherige getrennte Ausgabe der beiden zusammengehörenden, einander beleuchtenden und ergänzenden Teile bestimmt haben. Die neue Ausgabe bedeutet also die Rückkehr zur ursprünglichen Absicht des Verfassers.

Diese Absicht hat aber auch heute eine außerordentliche Aktualität, die weit über das bloß Literarische oder Literaturhistorische hinausgeht. Es handelt sich um die richtige Bewertung der Wege der deutschen Vergangenheit; diese Bewertung beeinflußt naturgemäß auch das Einschlagen des richtigen Weges in die Zukunft. Natürlich handelt es sich hier nur um einen partiellen Beitrag zu diesem großen Problemkomplex. Dieser selbst könnte nur durch die marxistisch-leninistische Revision der ganzen deutschen Geschichte gelöst werden. Die Geschichte der Literatur ist nur ein Teil, ein freilich wichtiges Moment des Ganzen, aber doch nur ein Moment. Und dieses Buch schildert und zergliedert nur eine Etappe dieser Teilentwicklung.

Allerdings einen wichtigen Teil. Lenin hat mit Recht bemerkt, daß die Herstellung der nationalen Einheit Deutschlands die Zentralfrage seiner demokratischen Umwälzung ist. Die mittelalterliche Geschichte, kulminierend in der großen Krise der Bauernkriege, in der Periode der Konsequenzen, die sich im Dreißigjährigen Krieg entfalten, zeigt, warum – im Gegensatz zu England, Frankreich oder Rußland – diese Frage im Mittelpunkt der neueren deutschen Entwicklung steht. Die Große Französische Revolution – und ihre ideologische Vorbereitung, die Aufklärung –, die Befreiungskriege, die Julirevolution, 1848, die Bismarcksche Reichsgründung, der erste imperialistische Weltkrieg und die Hitlerzeit sind die Knotenpunkte dieser Entwicklung. Sie zeigen ohne Ausnahme, daß und wie und warum das deutsche Volk auf die ihm historisch notwendige Frage stets eine falsche, undemokratische, unfreiheitliche Antwort gegeben hat. Sie zeigen aber auch, daß solche Beantwortung die Frage nur für eine kurze Zeitspanne lösen kann. Die undemokratische, reaktionäre Lösung erweist sich sowohl in ihrer Bismarckschen wie in ihrer Hitlerschen Form als ein Gebilde, das sich historisch nicht zu halten vermag, dessen eigenste innere Dialektik ein außen- wie innenpolitisch selbstmörderisches Verhalten hervorbringt.

Die Untersuchung dieser Frage entspringt heute nicht bloß rein historischem Interesse an einer adäquaten Erkenntnis der Vergangenheit. Diese historische Frage ist vielmehr die Schicksalsfrage des deutschen Volkes der Gegenwart.

Die hier vereinigten Studien erhalten ihre Einheit gerade von dem Gedanken, daß sie die Hauptlinien der Literatur in den letzten 200 Jahren aus der Perspektive dieser Probleme, ihrer Widerspiegelung in den Schriftwerken, in der Stellungnahme der Schriftwerke betrachten. Der Kampf von Fortschritt und Reaktion ist nicht bloß der Titel eines Teils. Er ist auch der Leitgedanke des Ganzen. Und erst diese Grundidee berechtigt, diese kurze Skizze als einheitliches Buch herauszugeben, das den Versuch darstellt, die Hauptlinien in der Literaturentwicklung der letzten 200 Jahre zu skizzieren.

Natürlich bleibt innerhalb dieses einheitlichen Rahmens die alte Zweiteilung als Aufbau bestehen. Der Verfasser meint, daß es aus dem Stoff selbst folgt, die deutsche Literatur vor und nach der Reichsgründung in verschiedener Weise darzustellen. Schon die Tatsache, daß nach jener, bis zu Bismarcks Sturz, bis zur Aufhebung des Sozialistengesetzes, ein fast zwei Jahrzehnte währendes Vakuum an produktiven Neuerscheinungen entsteht, ist ein Beweis, daß die Periodisierung nicht subjektiv ausgeklügelt, sondern sachlich fundiert ist. Daß in diesen Jahrzehnten alternde Schriftsteller wie Keller, Meyer, Raabe ihre Produktion fortsetzen, daß die große Ausnahme, Fontane, gerade in dieser Zeit eine Reife erringt, ändert an der Tatsache des Vakuums wenig. Die ausschlaggebenden Schriftsteller der kommenden Periode treten – in immer dichteren Reihen – erst nach 1889 auf. Daraus folgt, daß diese Jahrzehnte in unserer Darstellung zweimal vorkommen: einmal als Abschluß der ersten Entwicklungsetappe, als »Grablegung des alten Deutschlands«, dann aber als die Zeitspanne, in welcher sich die ältere Generation der imperialistischen Periode formiert hat.

Diese natürliche Periodisierung bringt es zugleich mit sich, daß der erste Teil historischer gehalten ist als der zweite. Es handelt sich um eine abgeschlossene Periode, die für uns ein wichtiges Erbe bedeutet, sowohl im Sinne des fruchtbaren, kritischen Aneignens wie im Sinne des endgültigen Überwindens schädlicher Traditionen. Die zweite Periode ist dagegen noch die teilweise lebendig wirksame Vorgeschichte unserer Gegenwart. Sie ist – trotz des gewaltigen Einschnitts, den der zweite Weltkrieg und sein Ende bedeuten – keineswegs abgeschlossen. Der Kampf für oder gegen die hier auftretenden Tendenzen muß deshalb, eben wegen der Gegenwartsnähe der Probleme, weitaus schärfer sein. Natürlich ist auch hier eine historische Betrachtungsweise, eine historische Übersicht erstrebt; sie hat aber notwendigerweise einen anderen Ton, ein anderes Kolorit als die Geschichte der Entwicklung von Lessing bis Keller.

Die beiden Teile haben, als separate Büchlein, eine gewisse Popularität errungen. Der Verfasser hofft, daß ihre Vereinigung sie für die Leser noch verständlicher und belehrender machen wird.

Budapest, September 1952

I

Fortschritt und Reaktion
in der deutschen Literatur

»Aus älteren Zeiten haben wir durchaus keine lebende Dichterei, auf der unsere neuere Dichtkunst wie Sprosse auf dem Stamm der Nation gewachsen wäre, dahingegen andere Nationen mit den Jahrhunderten fortgegangen sind und sich auf eigenem Grunde, aus Nationalprodukten, auf dem Glauben und Geschmack des Volks, aus Resten alter Zeiten gebildet haben. Dadurch ist ihre Dichtkunst und Sprache national geworden. Wir armen Deutschen sind von jeher bestimmt gewesen, nie unser zu bleiben; der deutsche Gesang ist ein Pangeschrei, ein Widerhall vom Schilfe des Jordans, des Tibers, der Themse und Seine, der deutsche Geist ein Mietlingsgeist, der wiederkäut, was anderer Fuß zertrat ... Und doch bleibt's immer und ewig, daß, wenn wir kein Volk haben, wir kein Publikum, keine Nation, keine Sprache und Dichtkunst haben, die unser sei, die in uns lebe und wirke. Da schreiben wir denn nun ewig für Stubengelehrte, machen Oden, Heldengedichte, Kirchen- und Küchenlieder, wie sie niemand versteht, niemand will, niemand fühlt. Unsere klassische Literatur ist ein Paradiesvogel, so bunt, so artig, ganz Flug, ganz Höhe und – ohne Fuß auf deutscher Erde.«

So kennzeichnet Herder noch im Jahre 1777 die deutsche Dichtung. In den Anfängen erkannten die bedeutendsten Köpfe die schwierige Lage der deutschen Literatur, später verblaßt diese Erkenntnis. Man strebt vielmehr danach, eine organische Vergangenheit des deutschen Volkes, der deutschen Kultur, der deutschen Literatur auszuklügeln und glaubhaft zu machen. Dieses krampfhafte Bestreben beherrscht die Romantik und wächst nach 1871 mit der Reaktion und den Weltherrschaftsplänen im verpreußten Deutschland. Klarblickende und ehrliche Schriftsteller wehren sich freilich nicht selten gegen die Konstruktion des organischen Zusammenhangs, bleiben jedoch meist ohne entscheidenden Einfluß. Goethe hat ununterbrochen gegen die erwähnten Bestrebungen der Romantik gekämpft. Hebbel, der später mit seiner dramatischen Erneuerung der Nibelungen selbst in jenen Bahnen wandelt, steht vor der Niederlage der Achtundvierziger Revolution noch im Lager der Besonnenen. Er hob damals energisch hervor, daß Shakespeare aus der englischen Vergangenheit das gestaltete, »was noch im Bewußtsein seines Volkes lebte, weil es noch daran zu tragen und zehren hatte«. Von diesem Standpunkt aus bekämpfte er leidenschaftlich die dramatische Erneuerung der mittelalterlichen deutschen »Kaiserherrlichkeit«, die Dramatisierung der Hohenstaufen: »Ist es denn so schwer, zu erkennen, daß die deutsche Nation bis jetzt überall keine Lebens-, sondern nur eine Krankheitsgeschichte aufzuzeigen hat, oder glaubt man allen Ernstes, durch das In-Spiritus-Setzen der Hohenstaufen-Bandwürmer, die ihr die Eingeweide zerfressen haben, die Krankheit heilen zu können?«

In anderen Ländern bildet das Erwachen des Bürgertums einen notwenigen Teil der Schaffung und Festigung der nationalen Einheit und kann sich darum (bei allen nötigen Vorbehalten) zeitweilig im Einklang mit der aufwärtssteigenden Linie der absoluten Monarchie befinden. Man denke an Shakespeares Stellung zu den Tudors, an die Corneilles und Racines, ja auch Voltaires zum Zeitalter Ludwigs XIV. In Deutschland aber kann eine Harmonie zwischen den herrschenden Mächten und der deutschen Kultur nur vorgetäuscht werden und hat daher stets etwas Verlogenes. Diese Lüge, die subjektiv nur allzuoft aus dem Selbstbetrug erwächst, vergiftet die ganze deutsche Kultur- und Literaturgeschichte. Nur wenn man das klar erkennt, wird man vor gefährlichen Verzerrungen und Trugschlüssen bewahrt bleiben.

Größe und Grenze der Literatur werden in Deutschland vor allem durch ihren Gegensatz zum herrschenden Regime bestimmt. Die deutsche Literatur ist groß – nur allzuoft freilich im tragischen Sinne –, weil sie die Schicksalsfrage des deutschen Volkes erkannte und in ihrer Glanzzeit gerade diesen Gegensatz vertieft und ausgebaut hat; zugleich aber liegt darin ihre Schwäche begründet. Insbesondere bewirkt der Gegensatz zur gesellschaftlich-staatlichen Struktur Deutschlands den idealistischen Charakter der deutschen Kultur und Literatur.

Die deutsche Weltanschauung in der großen Zeit der Literatur war vorwiegend idealistisch, vorwegnehmend, ja utopisch. Ihre Gedanken richteten sich weniger auf das Sein als auf das Sollen; ihre Hauptabsicht war nicht, aus dem Sein verborgene Tendenzen herauszuarbeiten, sondern eine vorbildliche, erträumte Welt gedanklich vorwegzunehmen. Dadurch wurde in den meisten Deutschen die Beziehung von Ideal und Wirklichkeit getrübt. Diese Kehrseite des Idealismus verhinderte die Entstehung eines fortschrittlichen, eines revolutionären Realismus in Deutschland. Als die wirtschaftliche und politische Entwicklung reale Ziele erforderte, hielt der Idealismus nicht stand. Seine großen Systeme zerbrachen, und was übrigblieb, verblaßte zu einem akademischen Schattendasein. Anderseits entwickelte sich eine für Deutschland ebenso charakteristische »Realpolitik«, die von einer verstiegenen und bodenlosen Phantastik erfüllt war. So kommt es denn, daß Deutschland zwar geniale Schriftsteller gehabt hat, aber nie eine realistische Entwicklung, wie Rußland von Gogol bis Gorki, wie Frankreich von Diderot bis Balzac, wie England von Defoe bis Dickens.

Neben dem Mangel an echter Tradition und neben dem idealistischen Erbe bildet das Spießertum die wichtigste Schranke der deutschen Literaturentwicklung. Die besten deutschen Schriftsteller sahen im Spießertum ihren Feind, aber es wurde nur selten erkannt, woher dieser Feind seine Stärke nimmt. Nirgends gab es so kleinliche, so ideenlose Despoten wie in Deutschland, nirgends so geringen Widerstand gegen ihre Abscheulichkeit. Natürlich gibt es überall Spießer, Philister. Aber überall sonst gab es auch die reinigenden Gewitter der Revolutionen, gab es wiederholte Klärungsprozesse im öffentlichen Leben. In Deutschland hat es nie ein öffentliches Leben im wahren Sinne des Wortes gegeben. Georg Forster schrieb einmal: »Wir haben siebentausend Schriftsteller, und noch gibt es in Deutschland keine öffentliche Meinung.« Da diese Lage sich nicht änderte, war eine wirkliche Überwindung des Spießertums unmöglich. Der Philister vergiftete auch die höchsten Gestalten, die großen Genien der deutschen Literatur. Das deutsche Schrifttum weist eine große Zahl bedeutender Talente auf, aber man findet selten einen deutschen Schriftsteller, der wirklich frei wäre vom Spießertum.

Die Enge der Verhältnisse zur Zeit der Entstehung und der Blüte der deutschen Literatur ist es, die ihre Eigenart bedingt. Und das Übel fraß sich in die deutsche Seele; die Menschen unterlagen nicht nur ihrer Umgebung, sie fingen an, das Spießertum zu züchten, sahen in manchen seiner Erscheinungen ein »höheres«, »echteres« Menschentum. Und da der wirtschaftliche und politische Auftrieb nicht Ergebnis einer in wirklichen Kämpfen erfolgten Selbsterziehung des Volkes war, bringt das wirtschaftlich und politisch groß gewordene Deutschland nur veränderte Typen des Philisters, nicht aber die Überwindung seiner Gedankenwelt hervor. Im Gegenteil: das

Spießertum tritt nun »monumental« auf und gewinnt durch seine weitreichende Wirksamkeit eine bisher nie vorhandene Selbstsicherheit und Selbstgefälligkeit; es modernisiert sich zugleich, nimmt kosmopolitische, weltmännische, dekadente Allüren an und glaubt, das Raffinement der Verinnerlichung schließe die Spießbürgerlichkeit vollkommen aus. Aber Deutschland ist unter Bismarck, unter Wilhelm II. und unter Hitler nicht weniger spießbürgerlich als zur Zeit des idyllischen Biedermeier, nur ist das Spießbürgertum seit Bismarck angriffslustiger und gefährlicher.

Nein, das Spießbürgertum ist nicht ausgestorben. Wohl wurde das Ziel der deutschen demokratischen Revolution, die Herstellung der nationalen Einheit, formell erreicht, aber ohne aktive Teilnahme des Volkes – man kann sagen: hinter seinem Rücken. Diese Entwicklung beginnt bereits mit dem Zollverein. Wirtschaftlich war die Einheit von Kleindeutschland längst vollendet, als das Preußen Bismarcks die militärpolitischen Konsequenzen aus dieser Wirtschaftslage zog. Zur Vollendung dieser Revolution von oben gab es in Deutschland unter diesen Umständen nur die Aufgabe, sich in Uniform zu werfen, stramm zu exerzieren, wortlos zu gehorchen. Das »Gefängnis der Seelen« im Innern des neuen Reiches ist unverändert aus der Auflösung des alten übernommen worden, es ist nur ein erweitertes und moderneres Gefängnis geworden.

Mit der Niederlage der Achtundvierziger Revolution, mit den Siegen von 1866 und 1870/71 ist die ganze klassische Glanzperiode der deutschen Literatur sinnlos geworden. Sie war die Seele einer Befreiungsbewegung; sie war das großartige ideologische Vorspiel einer demokratischen Umwälzung Deutschlands. Die klassische Literatur der Deutschen wollte ein Feuer anfachen, das die gesamte politische und soziale Wirklichkeit erhellen sollte; in der Literatur jener Zeit wird ein Anlauf zu einem Sprung aus der Knechtschaft ins Freie genommen. Aber das Feuer ist nie entbrannt, der Sprung wurde nie getan.

Damit ist aber der gewaltige Anlauf zu einem sinnlosen, fast lächerlichen Luftsprung geworden. So kurz die ruhmreiche Vergangenheit des denkenden und dichtenden Deutschlands auch im Vergleich zu anderen Völkern war, so entstand doch im neuen Reich das Bedürfnis, ihr wirkliches Wesen zu verdecken und vergessen zu machen. Da aber das neue ruhmredige, protzenhafte, machtgierige Deutschland auf parvenühafte Art nach Ahnen suchte, begann eine großzügige Umfälschung der Vergangenheit. Die Hitlerzeit bildet ihren Gipfelpunkt, den Höhepunkt einer Entwicklung, die schon nach den Bismarcksiegen machtvoll einsetzte und deren Anfänge in die fünfziger Jahre zurückreichen.

Sinn und Aufgabe dieser Betrachtung ist der Nachweis, daß die deutsche Literatur ein Teil, ein Faktor, ein Ausdruck und eine Spiegelung des deutschen Volksschicksals ist. Leitend bei unserer Darstellung ist deshalb der Gedanke, daß fortschrittlich der Kampf gegen das deutsche Elend ist; als reaktionär bezeichnen wir jedes Bestreben, die Misere in irgendeiner Form zu verewigen. So klar dieser Leitgedanke auch ist: seine Anwendung ist gar nicht einfach. Einerseits deshalb, weil – gerade infolge der wirtschaftlichen und politischen Rückständigkeit – die allgemeinen Widersprüche in der Entwicklung der bürgerlichen Gesellschaft in Deutschland besonders kompliziert erscheinen. Andererseits, weil die gesellschaftlichen und politischen Probleme in der Literatur überhaupt äußerst verwickelt sind. Oft geht die objektive Gestaltung Wege, die der subjektiven Absicht entgegenlaufen – und beide können historisch wichtig sein. Dazu kommt, daß im Rahmen dieser Arbeit nicht einmal die Haupttendenzen eingehend beschrieben werden können; wir müssen uns hier mit einer flüchtigen Skizze begnügen. Natürlich ist jeder Schriftsteller, besonders ein wirklich großer Autor, in seinem Schaffen reicher und vielseitiger als die literarische oder soziale Tendenz, die er repräsentiert. Wenn hier also bedeutende oder bloß bekannte Namen Richtungen beleuchten sollen, so müssen wir uns in jedem Fall über die gewisse Einseitigkeit im klaren sein, die bei solchem Verfahren unvermeidlich ist. Unsere Skizze ähnelt notgedrungen einer Landkarte, die ja auch die wesentlichen ästhetischen und sonstigen Eigenarten der Städte und Landschaften nicht wiederzugeben vermag.

1

Größe und Grenzen der deutschen Aufklärung

Die Aufklärung ist von allen großen Literaturperioden dem heutigen Leser besonders fremd, gerade weil Tugenden und Schranken der deutschen Entwicklung sich hier unverhüllter als sonst zeigen. Freilich treten die widerspruchsvollen Komplikationen des deutschen Entwicklungsweges schon in der Aufklärung auf. Und an sie klammert sich die modernisierende Vorliebe für Hamann, die Sturm-und-Drang-Dramatik usw. Aber auch solche Sympathien enthüllen den heutigen Abstand von der Aufklärung. Immer stärker wird der angebliche Gegensatz jener Tendenzen zur Aufklärung selbst betont, die inneren, durchaus fruchtbaren Widersprüche der Aufklärung in mechanisch-ausschließende Gegensätze einander fremder Lager umgedichtet. Als Aufklärung darf nunmehr die deutsche Literaturbewegung höchstens bis Lessing gelten, von dort an ist sie jetzt etwas eigenständig »Modernes«: die Revolte des Gefühls gegen den Verstand.

Ohne Frage ist diese Konstruktion brüchig und haltlos. Die deutsche Reaktion will mit der Aufklärung auch die Ideen von 1789 aus der Welt schaffen, um in der etwa um Hamann beginnenden irrationalistischen Romantik das konservative Gegengewicht zu finden. Daraus entstehen für die Literaturgeschichte unlösbare Widersprüche. Schon der Zusammenhang Rousseaus mit der Französischen Revolution ist äußerst unbequem; er muß als Vorläufer Robespierres ein verwerflicher Aufklärer, als Anreger des »Werther« ein beachtenswerter Irrationalist sein. Noch schwieriger ist die Lage der Geschichtsfälscher etwa bei Richardson, bei dem das Aufklärertum gar nicht wegzuleugnen ist.

Mit der anthropologisch-psychologischen Methode kommt man in der Literaturgeschichte nicht weit. Zeitalter, historische Tendenzen können unmöglich dadurch gekennzeichnet werden, daß man sie, isoliert genommen, psychischen Komplexen wie Gefühl und Verstand zuordnet. Der moderne Irrationalismus macht aus solchen Komplexen mythische Begriffe; diese Scheinkonkretheit kann aber die gedankliche Verwirrung nur vergrößern.

Allerdings ist die Antipathie gegen den Verstand, besonders gegen den »Aufklärungs«-Verstand, bei den modernen Reaktionären durchaus erklärlich. Denn dieser berüchtigte Verstand übte eine rücksichtslose Kritik am Feudalabsolutismus und allen Versuchen zu seiner Rechtfertigung. Der Verstand der Aufklärung bewährte sich gerade in dem Willen, die gegebene politische Form nicht zu übernehmen, sondern kritisch zu vernichten. Diese Kritik wollen die modernen Reaktionäre um jeden Preis verunglimpfen, und so entstehen ihre leeren und falschen Konstruktionen.

Die Hohlheit und Haltlosigkeit der Verstand-Gefühl-Konstruktion kann man am leichtesten bei Lessing durchschauen. Wenn Lessing etwa Corneilles »Rodogune« kritisiert, so tadelt er in diesem Drama nicht das Unwahrscheinliche, Wunderbare und Phantastische (also das über den »Verstand« Hinausgehende), sondern behandelt im Gegenteil Corneille als bloß witzigen Kopf, als bloßen Konstrukteur, dem er die Empfindungsfülle des wahren Genies gegenüberstellt. Lessing kämpft gegen Corneilles Unmenschlichkeit und Gefühllosigkeit für ein Drama, dessen Grundlage die echt menschlichen Gefühle bilden sollen. Freilich darf diese Polemik nicht so gedeutet werden, als wäre Lessing nun ein – inkonsequenter – Vorläufer des Irrationalismus. Man muß vielmehr einsehen lernen, daß Lessing hier die Totalität der bürgerlichen Gefühls- und Verstandeswelt der Totalität der feudalabsolutistischen Gefühls- und Verstandeswelt gegenüberstellt. (Es steht hier nicht zur Diskussion, wieweit die Lessingsche Kritik zutreffend ist; nur ihre Richtung und ihre Methode sollten herangezogen werden.)

Durch eine solche Betrachtungsweise werden die Gegensätze innerhalb der Aufklärung nicht geleugnet; im Gegenteil: die Aufgabe entsteht, ihre wahren Wurzeln aufzudecken. Vor allem muß man wissen, daß die Aufklärungsbewegung *letzthin* einheitlich war. Worin besteht diese Einheitlichkeit? Darin, daß der deutsche Bürger zum Selbstbewußtsein gelangte und zu der Erkenntnis erwachte, daß er den Duodez-Absolutismus und seine Ideologie bekämpfen müsse. Darüber hinaus findet in der Aufklärungsbewegung das Wesen der entstehenden bürgerlichen Gesellschaft Ausdruck, die umgestaltende, umwälzende Mission der aus dem Bürgertum aufsteigenden neuen Ideologie und der Literatur des bürgerlichen Menschen.

Die Einheitlichkeit der deutschen Aufklärung und zugleich ihre tiefe Verbundenheit mit den französischen und englischen Aufklärern – und zwar nicht nur mit Rousseau, sondern auch mit Diderot, Voltaire, Montesquieu u. a. – zeigt ein halbes Jahrhundert später rückblickend Goethe in »Dichtung und Wahrheit«. Dabei muß dem heutigen Leser auffallen, wie sorgfältig abgewogen das Aufeinander- und Auseinanderfolgen der verschiedenen Richtungen und Persönlichkeiten dargestellt wird und wie liebevoll-dankbar Goethe die Verdienste auch unbedeutender, mit Recht vergessener Autoren hervorhebt.

Diese Einheitlichkeit empfanden auch die Zeitgenossen. Die Briefe und Memoiren der Aufklärung enthüllen ein dichtes Gewirr, ein Kreuz und Quer der persönlichen und literarischen Verbindungen. Dabei fällt auf, daß die Beziehungen auch bei heftigsten Meinungsverschiedenheiten selten restlos abgebrochen werden. Merck, der intime Freund Goethes und Herders, bleibt doch Nicolai verbunden; Wieland überhört lächelnd alle Beschimpfungen der Sturm-und-Drang-Jugend im Gefühl der inneren Verbundenheit mit der literarischen Rebellion; auch der leidenschaftliche Hamann (»der Vater des modernen Irrationalismus«), der stets am heftigsten gegen die Berliner Aufklärer wettert, verleugnet keineswegs diesen Zusammenhang. Als die Berliner Aufklärer dem glaubenseifrigen Lavater Aberglauben, anderseits Schlosser, Fritz Jacobi und Lavater den Berlinern Unglauben vorwarfen, warnt Hamann den streiterhitzten Jacobi davor, aus Feindseligkeit gegen die Berliner deren »orthodoxem und zelotypischem Gegner in die Arme zu sinken«. Man sieht, wen auch Hamann für den gemeinsamen Hauptfeind hält. Und »orthodox« ist hier nur das religiös-ideologische Eigenschaftswort zur Bezeichnung der bestehenden feudalabsolutistischen Ordnung in Deutschland.

Erst von hier aus werden die wirklichen Gegensätze erkennbar. Das deutsche Bürgertum erwachte nach dem Dreißigjährigen Krieg nur sehr langsam aus der kulturellen Lähmung. Als jedoch, ungefähr um die Mitte des achtzehnten Jahrhunderts, die Bewegung wirklich einsetzte, als die wirtschaftliche und soziale Lage ihr zwar keinen sicheren Untergrund, immerhin aber die Bedingungen für ihre Entfaltung gewährte, drang sie mit reißender Geschwindigkeit voran. Die deutsche Aufklärung ist in ihrer Einheitlichkeit durch die gemeinsame gesellschaftliche Grundlage, durch die gemeinsamen Feinde – Absolutismus, Adel, Spießertum – und durch die gemeinsamen Aufgaben bestimmt. Die rasche Entwicklung bringt aber plötzliche Änderungen in allen Fragen der Strategie und Taktik dieses Kampfes. Die oft recht plötzlichen Wendungen bestimmen die rasch wechselnden, komplizierten, nur durch ausführliche Einzeluntersuchungen wirklich zu erfassenden Gruppierungen und Richtungskämpfe. Hier können freilich nur die wichtigsten Problemkomplexe angedeutet und die Persönlichkeiten oder Werke herangezogen werden, die bedeutsame Entwicklungsstadien zu beleuchten vermögen.

Das Erwachen des Bürgertums inmitten der deutschen Misere, sein Kampf gegen dieses Elend bestimmen das Wesen der deutschen Aufklärung. Es ist verständlich, daß die Anfänge der Aufklärung höchst armselig, vor allem feig und schüchtern waren. Das Gefühl der Abhängigkeit von dem kleinlichen Despotismus der absoluten Monarchien, die Befangenheit im Spießertum, aus dem sich die Ideologie der deutschen Aufklärung mühsam herausarbeitete, kennzeichnen den Beginn. Mit dem Erwachen des Muts, mit der Erweiterung des Gesichtskreises – der im Anfang nur abstrakt-kosmopolitisch sein konnte: in einer Weise, die sich der französische und englische Bürger längst zu eigen gemacht hatte –, mit dem Ertasten und Ausbilden der Spielräume des ideologischen Kampfes unter den gegebenen Bedingungen veralten einst verdienstvolle Ansätze und Errungenschaften äußerst rasch. Was vor wenigen Jahren ein großer Schritt vorwärts war, wird bald ein Hemmnis für die Weiterentwicklung. Von Gottsched, von seinen Kämpfen mit den Schweizern an sind alle Richtungskämpfe als innere Auseinandersetzungen innerhalb des letzthin einheitlichen Lagers aufzufassen. Das mindert keineswegs ihre

Schärfe, steigert sie sogar, erklärt aber zugleich die Tatsache, daß der Leser schon nach zwei Jahrhunderten viele der seinerzeit so heiß umstrittenen Unterschiede gar nicht als allzu groß, zuweilen sogar als verschwindend klein, ja als bloße Nuancen empfindet.

Der kosmopolitische Zug der deutschen Aufklärung war durch die allgemeine Rückständigkeit Deutschlands bedingt. Im Grunde ist es erstaunlich, wie rasch sich Deutschlands Denken und Dichten verselbständigte, wenn auch unter dauernder Anlehnung an die Ideologie der entwickelteren Länder. Es ging vor allem um Befreiung von dem niederdrückenden, versklavenden Einfluß der Höfe; die parallele Befreiung von der Spießerhaftigkeit des Bürgertums ist nur die Kehrseite. Im Spießertum offenbart sich die ideologische Abhängigkeit vom Feudalabsolutismus. Der Kampf des französischen mit dem englischen Einfluß ist nur ein Moment in diesem Befreiungsprozeß. Denn Ideologie und Kunst des französischen »grand siècle« erscheinen in den deutschen Versailles-karikaturen der kleinen Höfe bereits in einer entstellten und entwürdigten Form; werden sie nun ins Bürgerliche übersetzt, so muß ein philiströser Gegenpol zu der adlig-höfischen Armseligkeit entstehen. Die Aufnahme der englischen Literatur – einerlei, ob es sich um Milton, den Dichter der puritanischen Revolution des siebzehnten Jahrhunderts, oder etwa um die Zeitschriften des frei gewordenen nachrevolutionären englischen Bürgertums handelt – ist schon an sich eine oppositionelle Tat, nämlich eine sichtbare, ausgesprochene, formale wie inhaltliche Loslösung von der Ideologie der deutschen Höfe. Natürlich erzeugt die Abneigung der großen französischen Aufklärer eine Bewegung in derselben Richtung. Es ist ein gern geübter Fälschungstrick des modernen deutschen Chauvinismus, den großen Aufklärern ein

Antifranzosentum anzudichten. Wenn etwa Lessing Corneille und Voltaire kritisierte, so tat er es zumindest ebenso stark im Namen Diderots als in dem Shakespeares!

Diese Stellung der deutschen Aufklärung zu ihren englisch-französischen Vorläufern und Zeitgenossen wird durch die Rückständigkeit Deutschlands kompliziert und widerspruchsvoll. Französische Einwirkungen haben vielfach die dienstbeflissene Unterwürfigkeit gegen den höfischen Geschmack gefördert; gleichzeitig kam aber durch sie der ideologische Aufstand gegen die kirchliche Orthodoxie, die Stütze des Absolutismus, mit großer Schärfe zum Ausdruck. Aus dem England der puritanischen Revolution wehte ein ganz anderer republikanischer Geist, besonders aus Miltons Werken. Da jedoch unter den deutschen Bedingungen die religiöse Form den revolutionären Gehalt überwucherte, da aus dem rebellischen Puritanismus ein frömmelnder Pietismus wurde, zeigt sich hier derselbe Widerspruch von der anderen Seite. Mehring hat den Kampf dieser Tendenzen im Streite Gottscheds mit den Schweizern aufgedeckt; die komplizierte Gegensätzlichkeit solcher widerspruchsvoller Tendenzen geht aber durch die ganze deutsche Aufklärung. Wir werden sie noch in Schillers »Räubern« finden.

Man muß sich freilich die Befreiung von der höfischen Ideologie vorerst in den bescheidensten Ausmaßen vorstellen. Das hat vor allem einen äußeren Grund: den polizeilichen Druck des kleinlich-allmächtigen, sich in jede Lebensäußerung einmischenden Absolutismus. So klagt der einst berühmte Satiriker Rabener: »Deutschland ist nicht das Land, in welchem eine bessernde Satire es wagen dürfte, das Haupt mit Freiheit emporzuheben; in Deutschland mag ich es nicht wagen, einem Dorfschulmeister diejenige Wahrheit zu sagen, die in London ein Lord-Erzbischof anhören muß.«

Dem äußeren Druck entspricht eine innere Zaghaftigkeit; noch hundert Jahre später mußte Heinrich Heine über den inneren Zensor spotten, den jeder deutsche Philister in der Seele trägt. Und derselbe Rabener, der so beredt über die äußeren sozialen Schranken der Satire in Deutschland klagt, stellt sie selbst als innere Schranken auf, die ihre Entfaltung noch stärker hemmen: »Es ist wahr, es gibt in allen Ständen Toren, aber die Klugheit erfordert, daß man nicht alle tadle; ich werde sonst durch meine Übereilung mehr schaden, als ich durch meine billigsten Absichten nützen kann. Der Verwegenheit derer will ich gar nicht gedenken, welche mit ihrem Frevel bis an den Thron des Fürsten dringen und die Aufführung der Oberen verhaßt oder lächerlich machen wollen. Ist es nicht ein innerlicher Hochmut, daß sie in ihrem finsteren Winkel höher zu sehen glauben als diejenigen, welche den Zusammenhang des Ganzen vor Augen haben, so ist es doch ein übereilter Eifer, der sich mit nichts entschuldigen läßt.« Man sieht: nicht einmal der berüchtigte »beschränkte Untertanenverstand« ist eine selbständige Erfindung der preußischen Bürokratie. Die Zaghaftigkeit in den Anfängen der deutschen Aufklärung führt sich selbst als »beschränkten Untertanenverstand« ein – und große Teile der späteren deutschen Literatur werden die spießige Unterwürfigkeit nie los.

Man darf freilich nicht vergessen, daß diese Einstellung mit der ökonomisch-sozialen Lage der deutschen Schriftsteller eng zusammenhängt. Die Armseligkeit und Kleinlichkeit der deutschen Verhältnisse erschweren ein selbständiges Dasein als Schriftsteller aufs äußerste. Auch für die deutschen Schriftsteller dieser Zeit, wie für die kleinbürgerliche Intelligenz überhaupt, bilden die untergeordneten Stellen in der staatlichen Bürokratie die Grundlage der wirtschaftlichen Existenz. Damit entsteht nicht nur eine ökonomische Abhängigkeit, sondern in der Mehrzahl der Fälle auch eine Einschränkung des Horizonts. Und wenn sich mit der Zeit ein bestimmtes Mäzenatentum einzelner Höfe entwickelt, so sollten dessen »befreiende« Wirkungen ja nicht überschätzt werden. Teils kommt es dabei zu einem fürchterlichen Ausnützen der besten Kräfte für kleinliche bürokratische Arbeit (Herder in Weimar!), teils handelt es sich, wo die Lage einigermaßen günstig ist, um Ausnahmefälle. Und die Schriftsteller, die versucht haben, trotz der Abhängigkeit ihre Ansichten verhältnismäßig frei zu äußern, mußten es meist durch lange Haft in fürstlichen Gefängnissen büßen (Moser, Schubart u. a.).

Das Faszinierende an der Erscheinung Lessings ist nicht zuletzt sein Kampf gegen die deutsche Armseligkeit auch im Alltagsleben, auch in Fragen des Schriftstellerdaseins. Klopstock ist der erste Dichter in Deutschland, bei dem die nationale Aufgabe der Literatur auf die persönliche Würde des Schriftstellers zurückstrahlte, der auch im Leben den Typus des deutschen Schriftstellers aus der bürokratischen Subalternität – und ihrem Gegenpol, dem deklassierten Vagabundentum – heraushob. Lessing führte aber als erster einen wirklichen Kampf für die gesellschaftliche und nationale Sendung des unabhängigen Schriftstellers. Unter den Bedingungen des damaligen Deutschlands mußte er scheitern. Selbst dem erfolgreichsten Dramatiker, dem geistvollen und fruchtbarsten Kritiker und Publizisten der ganzen Periode stand dieser Weg nicht offen. Aber der Kampf als solcher bleibt vorbildlich, wenn er auch wenig würdige Nachfolge in der späteren deutschen Literatur findet.

Allein der Spielraum der deutschen Aufklärung ist nicht nur von außen, sondern auch von innen her beengt. Sie ist auf das rein Ideologische, auf Literatur und Literaturtheorie, allenfalls auf Philosophie und Theologie beschränkt, und dies in einer Zeit, in der sich – vor allem in Frankreich – die großen Vorbereitungsarbeiten der kommenden Revolution vollziehen. Allerdings darf man eines nicht vergessen: die führenden deutschen Aufklärer, allen voran Lessing, wußten stets, daß ihre ganze literarische Arbeit einen Teil dieses Befreiungskampfes bildete. Allein die Verdrängung der Kultur aus dem unmittelbar gesellschaftlichen Bereich ist dennoch nicht nur ein fehlender Ton in der Symphonie, sie wirkt vielmehr auf alles andere zurück, ändert Thematik und Ton, Form und Horizont auch dort, wo scheinbar kein Zusammenhang mit eigentlich gesellschaftlichen Aufgaben besteht.

Freilich, eine große, kämpferische Literatur ist schon an sich eine Tat, auch im gesellschaftlichen Sinne. Und »Emilia Galotti« und »Nathan«, »Götz« und »Werther«, »Die Räuber«, »Kabale und Liebe« und »Don Carlos« sind unzweifelhaft Taten. Es gibt aber auch noch ein Umschlagen der Theorie in die Praxis, wie man es bei Defoe oder Voltaire beobachten kann. Und daß ein solches Umschlagen in Deutschland prinzipiell ausgeschlossen oder wenigstens von vornherein aussichtslos und zum Scheitern verurteilt war, färbt zwangsläufig die ganze Produktion der deutschen Aufklärung. Nicht zufällig stehen zwei politische Tragödien am Ende der deutschen Aufklärung. Goethe scheiterte in Weimar bei dem Versuch, die Ideen der Aufklärung im politischen und sozialen Leben dieses Miniaturstaates zu verwirklichen, flüchtete darauf nach Italien und schließlich in die Welt der reinen Kontemplation. Daneben, als Gegenpol: die Mainzer Tätigkeit des deutschen Jakobiners Georg

Forster und sein einsamer Tod im Pariser Exil. Diese Grenze muß schon darum aufgezeigt werden, weil die deutschen Aufklärer in ihren Hauptvertretern geistig wie künstlerisch echte Zeitgenossen der großen Vorbereitungsperiode der Französischen Revolution waren, ja manchmal – geistig und künstlerisch – über ihre französischen und englischen Vorbilder hinausgingen. Das Aufzeigen der Gegensätzlichkeit im oben geschilderten Abstand von der Wirklichkeit ist also hier unumgänglich. Die ungeheure Spannung, die der deutschen Aufklärung eignet, bliebe sonst unverständlich. Die Ideologen der deutschen Aufklärung, die von ähnlichen – wenn auch rückständigeren – gesellschaftlichen Verhältnissen ausgehen wie die Franzosen und Engländer, nehmen teil an der geistig-künstlerischen Entwicklung der Vorbereitungsphase der Französischen Revolution.

Allerdings gleichsam in den Wolken, auf dem Gebiet des reinen, von der politisch-sozialen Praxis getrennten Denkens und Dichtens. Das führt zu tragischen Enttäuschungen, wie bei Goethe oder Forster, und zur spießbürgerlichen Beschränktheit, zur Feigheit, Enge, Verschrobenheit oder Selbstgefälligkeit in den Werken auch der größten und ehrlichsten Talente. Zuweilen jedoch ist es – für geniale Dichter oder Denker – möglich, gerade die Widerstandslosigkeit des sozial luftleeren ideologischen Raums auszunützen, um im Zuendedenken oder Weitergestalten über die fortgeschritteneren Vorbilder hinauszugehen. Das tut Winckelmann in seiner Deutung der Antike, indem er das Verständnis für diese Epoche demokratisch-revolutionär loslöst von den höfisch-adligen Konventionen des Barock und des Rokoko. Das leistet Lessing in der Begründung der Gattungstheorie, vor allem im Drama. Das schafft das deutsche bürgerliche Drama, das in »Emilia Galotti« und »Kabale und Liebe« weit über das hinausging, was selbst ein Diderot – von den englischen Anfängen gar nicht zu reden – zu schaffen vermochte. Das wird im »Werther« erreicht. Man vergleiche nur das Innenleben des neuen bürgerlichen Menschen in diesem Buch mit Richardson und Rousseau.

Die Kehrseite der Medaille sehen wir in der verschwommenen, jede Kontur auflösenden pietistischen Subjektivität des »Messias«, in dem die ganze revolutionäre Wucht und Gestaltungskraft des englischen Vorbildes verschwunden ist, vor allem jedoch in der Dramatik des Sturm und Drang. Zwar kann Lenz als Menschengestalter, als Schöpfer einzelner Szenen ehrenvoll vor seinen besten Zeitgenossen bestehen, aber seine Dramen als Ganzes bauen sich stets auf eine aufgeregt-philiströse, anspruchsvoll-sinnlose Schrulle auf. Das deutsche Schrifttum der Aufklärung will nicht bloß eine politisch-soziale Umwälzung geistig vorbereiten, es schwingt sich auf zum Zuendedenken und Weitergestalten von Problemen, die in der Wirklichkeit kaum keimhaft hervortreten, es gräbt die verborgensten Entwicklungstendenzen der Epoche aus und stellt sie ans Tageslicht; so wird es schließlich zum Vorläufer auch der Problematik jener Wirklichkeit, die erst nach der Revolution Europa beherrschte. Wer diese Genialität der ahnenden Voraussicht nicht in sich hervorbringt, sinkt fast stets tief unter das westeuropäische Niveau: ist er überwiegend subjektiv-lyrisch, so verschwimmt alles im Nebel der sozialen Ungeformtheit des deutschen Lebens; ist er ein normaler, wenn auch hochbegabter Realist, so wird sein Werk als Ganzes durch eben diese Ungeformtheit verzerrt und erdrückt. Der durchschnittliche, innerlich wie äußerlich harmonische Typus des Aufklärers, der in Frankreich und England so verbreitet ist, gehört in Deutschland zu den größten Seltenheiten. Von führenden Gestalten nähert sich ihm nur Wieland; als eng-kleinbürgerliche Variante des Typus mag allenfalls Gellert gelten. Natürlich kann man auch hier nicht mechanisch das geniale Weitergestalten von dem Zurücksinken in die Verworrenheit der deutschen Misere trennen. In den Dramen des jungen Schiller, in den Werken von Hamann und Herder – um nur die Größten zu nennen – sehen wir beides nebeneinander oder miteinander vermischt.

Worin besteht nun das Weitergestalten? Bei »Emilia Galotti« und »Kabale und Liebe« ist die Antwort verhältnismäßig einfach. In diesen Dramen sind die höchsten tragischen Möglichkeiten erreicht worden, die sich aus den Zusammenstößen des zweiten mit dem dritten Stande ergeben. (Es ist sicher kein Zufall, daß Beaumarchais' »Figaro«, das französische Gipfelwerk, die höchsten satirisch-komischen Möglichkeiten aus demselben Stoff schöpft.)

Goethes »Werther«, der erste deutsche Welterfolg (wenn man von Winckelmann absieht), wirft schon kompliziertere Fragen auf. Der von den Engländern und Rousseau entdeckte neue Mensch und seine Gefühlswelt ist hier vollendeter, vielseitiger und tiefer, zugleich individueller und typischer gestaltet als bei seinen bedeutenden Vorläufern. Aber darüber hinaus bringt der »Werther«, wenn auch naturgemäß nur ahnend und andeutend, bereits Bilder von den inneren Widersprüchen der bürgerlichen Gesellschaft, vor allem auf dem Gebiet der individuellen Moral, von Widersprüchen, die noch nicht einmal in Frankreich, geschweige denn in Deutschland Inhalt und Form des Lebens beherrschten.

Damit sind wir bei der entscheidenden Eigenart der deutschen Aufklärung angelangt. Sie ahnt den von Grund aus widerspruchsvollen Charakter des Lebens und erkämpft sich im engen Zusammenhang damit das Verständnis der historischen Bedingtheit eines jeden Daseins. Natürlich muß man sich hüten, diese Bestrebungen der Spätzeit schroff den allgemeinen, früheren Aufklärungstendenzen gegenüberzustellen. Die Ansicht, es sei die ganze Aufklärung von unhistorischer, je antihistorischer Gesinnung gewesen, ist eine reaktionäre Legende. Schon lange bemüht sich insbesondere die deutsche reaktionäre Ideologie zu beweisen, daß der geschichtliche Sinn aus der gegenrevolutionären Kritik der Französischen Revolution entstanden sei. Damit soll einerseits die historische Auffassung der Aufklärung selbst aus der Welt geschafft, anderseits die historische Verteidigung des Fortschritts in der ersten Hälfte des neunzehnten Jahrhunderts (Hegel, französische Historiker der Restaurationszeit) in den Hintergrund gedrängt werden. Jede unbefangene Forschung wird feststellen müssen, daß die Blütezeit der Aufklärung nicht nur bedeutende Historiker (Montesquieu, Voltaire, Gibbon u. a.) hervorgebracht, sondern auch die Methode der historischen Forschung und damit den historischen Sinn weiterentwickelt hat. Es genügt, auf die Wirkung dieser Methode, auf die große historische Tat Winckelmanns hinzuweisen.

Wenn wir also von einem neuen, spezifisch historischen Sinn in der letzten Phase der deutschen Aufklärung sprechen, so setzen wir als selbstverständlich voraus, daß diese Tendenz sich auf der Grundlage der bisherigen Geschichtsforschung der Aufklärung entfaltete. Herder ist in dieser Hinsicht nicht nur ein Fortsetzer Montesquieus und anderer, sondern etwa seine geschichtliche Erforschung der orientalischen und griechischen Altertümer gründet sich auch auf Vorarbeiten englischer Aufklärer. (Wieweit hier ein mittelbarer, unterirdischer Einfluß von Vico wirksam war, ist heute noch nicht aufgedeckt.)

Ebenso steht es mit dem Ursprung der dialektischen Auffassung des Seins. Auch hier darf kein schroffer Gegensatz zwischen der Spätzeit der deutschen Aufklärung und ihren englisch-französischen Vorgängern konstruiert werden. Wohl ist die Erkenntnistheorie der materialistischen Aufklärer undialektisch, ja antidialektisch. Die Praxis ihrer Einzelforschungen oder Einzelgestaltungen bringt aber geradezu Meisterwerke der Dialektik hervor – z. B. »Rameaus Neffe« von Diderot –, und die geschichts- und gesellschaftsphilosophischen Werke Rousseaus beruhen bereits weitgehend auf einer dialektischen Auffassung der Geschichte. Allerdings bilden diese Tendenzen nicht die theoretische Hauptlinie der französisch-englischen Aufklärung. Was dort nur eine – freilich für die Entwicklung höchst bedeutsame – Episode war, wird für die letzte Phase der Aufklärung in Deutschland zum Grundproblem, führt zur Weiterentwicklung und zugleich zur Auflösung der Ideologie der deutschen Aufklärung.

Die besondere Lage der deutschen Aufklärung hat viele Gründe. Neben der früher erörterten idealistischen Strömung der Zeit spielt die größere Notwendigkeit einer historischen Orientierung in den Kulturaufgaben und Kulturzielen eine wichtige Rolle. Gerade weil die deutsche Geschichte so abrupt und problembeladen ist, weil man sich wirtschaftlich, politisch und sozial auf einem unerhörten Tiefpunkt befand, während einerseits das deutsche Volk in ferner Vergangenheit Zeiten des Ruhms erlebt hatte, anderseits die Führer der deutschen Aufklärung sich ideologisch als gleichrangige Zeitgenossen ihrer französischen und englischen Mitstrebenden empfinden konnten, führten die Versuche, Schicksal und Weg des deutschen Volkes, der deutschen Kultur zu begreifen, tief hinein in die Erforschung der Geschichte und des

Problems der Geschichtlichkeit überhaupt, der Widersprüche insbesondere im geschichtlichen Ablauf und zumal im Durchbruch fortschrittlicher Bestrebungen.

Freilich ließen sich diese Fragen mit den damaligen Denkmethoden der deutschen Aufklärer nicht wirklich bewältigen. Die Versuche, über die bisherige Philosophie der Aufklärung in Richtung einer bloß geahnten historischen Dialektik hinauszugelangen, führten fast überall zu einem Hin und Her zwischen Gedanken, die genial die Zukunft vorwegnehmen, und Rückfällen in eine trübe Reaktion. Hamann und Herder sind die besten Beispiele dafür; der junge Goethe steht zu ihren zukunftsträchtigen Absichten in naher Beziehung, lehnt aber zumeist die reaktionären Schwingungen mit gesundem Instinkt ab. Hamann und Herder geben zuweilen großartige Bilder der historischen Entwicklung des Menschengeschlechts, des Herauswachsens der Geschichte aus der inneren Bewegtheit der Naturkräfte; sie zeigen nicht selten tiefe Einsichten in die Entstehung der Sprache, der Poesie; sie erarbeiten richtige Erkenntnisse über das Wesen der Volkspoesie und ihren Zusammenhang mit den größten Dichtwerken, mit Homer und Shakespeare; Herder kommt sogar einem Verständnis des Alten Testaments aus vorderasiatischer Volkskunde nahe. Solche bedeutsamen Errungenschaften der Geschichte und ihrer Methodik wechseln aber mit plötzlichen Rückfällen in einen recht durchschnittlichen oder auch anspruchsvoll auftretenden Offenbarungsglauben ab, oft auch mit einer unklar, ja mystisch formulierten »Lebensphilosophie«. Bei ihren zeitweiligen oder ständigen ideologischen Verbündeten (Jacobi, Lavater u. a.) herrschen die reaktionären Gedankengänge vor.

Dieses Hin und Her zwischen den extremen Polen eines zukunftsträchtigen Fortschritts und eines philosophischen

Rückschritts ist tief begründet in der sozialen und weltanschaulichen Lage des damaligen Deutschlands. Gerade in Deutschland war für das Vertrauen auf die reformatorische Rolle des »aufgeklärten Absolutismus« am schwersten eine theoretische Grundlage zu finden, obwohl (oder weil) die Verbeugung vor dem gewöhnlichen, unaufgeklärten Absolutismus das gesellschaftliche Leben beherrschte. Und die Erfahrungen mit dem Preußen Friedrichs des Zweiten wirkten – das muß wegen der bekannten reaktionären Geschichtsfälschung betont werden – keineswegs so, daß sie ein solches Vertrauen hätten erwecken können; ganz im Gegenteil: Winckelmann und Klopstock, Lessing und Herder, Goethe und der junge Hegel sind sich einig in der leidenschaftlichen oder ironisch-überlegenen Ablehnung der Kulturlosigkeit und der antinationalen Haltung im Regime des »großen Königs«. So entstand vielfach die Neigung, das vorabsolutistische Deutschland als Zeitalter der Freiheit zu verherrlichen. Wenn diese Ansicht mit der Erkenntnis verbunden gewesen wäre, daß die Niederlage des Bauernkrieges die große historische Katastrophe Deutschlands war, so hätte die Kritik des Absolutismus zu einer klar fortschrittlichen Auffassung der deutschen Geschichte mit ihren Widersprüchen führen können. Von einer solchen Erkenntnis waren jedoch die deutschen Aufklärer weit entfernt. (Erst in den vierziger Jahren des neunzehnten Jahrhunderts dämmert diese Erkenntnis bei Alexander von Humboldt.)

Bei Justus Möser, bei Herder, beim jungen Goethe ist nur ein lebendiger, aber ganz unscharfer Instinkt vorhanden, daß man hinter jenen Punkt zurückgehen müsse, an dem die historische und kulturelle Katastrophe Deutschlands begann. Es gelingt ihnen aber noch nicht, den wahren Zusammenhang auch nur zu ahnen. Darum enthält ihre Kritik zwar viel Richtiges und Fortschrittliches gegen den Absolutismus und seine Bürokratie, steht dabei jedoch oft auf einer falschen, auf einer reaktionären Grundlage, die besonders deutlich bei Justus Möser hervortritt, der zuweilen sogar die Leibeigenschaft »historisch« zu verteidigen versucht. Solche Bestrebungen wirken dann in der deutschen Ideologie verhängnisvoll weiter bis zur Politik des Freiherrn vom Stein in der Reformzeit, der im wesentlichen einen Möserschen Gedankengang in die Praxis umsetzt.

Bei aller Entschiedenheit in der Kritik der Reaktion soll indessen nicht übersehen werden, daß auch Justus Möser nicht überall und immer als Reaktionär auftritt, daß in ihm vielmehr ein gesunder Instinkt zur Verteidigung der entstehenden nationalen Kultur lebendig ist; man denke nur an sein heftiges Aufbegehren gegen das Buch Friedrichs des Zweiten über die deutsche Literatur. Die Verworrenheit, das Nebeneinander von reaktionären und fortschrittlichen Gedanken können wir – mit Ausnahme von Lessing, dessen Feingefühl für den Fortschritt unfehlbar war – bei allen wichtigen Gestalten dieser Periode beobachten. Klopstocks Versuch, die deutsche Dichtung auf altdeutsche Mythologie, auf die ältesten Überlieferungen der deutschen Geschichte zu gründen, ist ein prägnantes Beispiel dieser Verworrenheit, bei dem freilich die historisch rückschrittlichen, unfruchtbaren Gedanken überwiegen.

Alle diese Widersprüche zeigen sich konzentriert in Goethes genialem Erstlingswerk, im »Götz von Berlichingen«. Es bedarf keiner eingehenden Analyse, um zu sehen, daß die Konzeption des Dramas von der Möserschen Auffassung des Faustrechts als einer »Periode der Freiheit« beeinflußt ist; auch merkt man heute leicht, daß Goethe den reaktionären Kern des Adelsaufstandes ebensowenig erkannt hat wie den fortschrittlichen der Bauernrevolution. Bei dem größten Dichter der Zeit erleben wir jedoch hier einen »Sieg des Realismus«. Trotz der historisch prinzipiell falschen Auffassung seines Helden stattet ihn Goethe doch mit geschichtlich und individuell richtigen Zügen aus, und seine dichterische Kritik der Armseligkeit und Verderbtheit des damals entstehenden Kleinstaat-Absolutismus, der Korrumpierung der Ritter zum Hofadel und ähnlicher Vorgänge ist von einer hohen historischen Wahrheit. Es ist darum kein Zufall, daß hier trotz aller Problematik des »Götz« als Drama für die europäische Literatur die wirkliche Gestaltung der Geschichte beginnt; so knüpft denn auch die weltliterarische Begründung der historischen Poesie bei Walter Scott gerade an dieses Drama an.

Im Guten wie im Bösen werden die inneren Widersprüche der Zeit durch die weltanschauliche Lage der deutschen Aufklärung gefördert. Trotz gewisser Sympathien mit dem Materialismus, die in der Neigung Lessings, Goethes (und zeitweise Herders) für Spinoza wirksam sind, gewinnt die radikalste, fortgeschrittenste Philosophie der Aufklärung in Deutschland keinen Boden. Das ist nicht nur eine Folge der wirtschaftlichen Rückständigkeit. Dabei spielt vielmehr auch die Tatsache eine nicht unwichtige Rolle, daß die adlig-höfische Abart der französischen Aufklärungsphilosophie, auch des Materialismus, eine gewisse Stütze im Duodez-Absolutismus Deutschlands erhält, so vor allem im Preußen Friedrichs des Zweiten. Die höfische Erscheinungsform des philosophischen Materialismus ist natürlich eine Verzerrung; er verliert dabei sein revolutionär umwälzendes Wesen und empfängt einen aristokratisch-zynischen Zug. Je heftiger und leidenschaftlicher nun die deutschen Aufklärer gegen die Ideologie der Höfe kämpfen, desto mehr empfinden sie diese aristokratisch-zynische Weltanschauung als feindlich, und sie sind nicht imstande, französische und englische demokratische Originale von deren deutsch-höfischen Karikaturen zu unterscheiden. Der Haß des selbstbewußt gewordenen neuen bürgerlichen Menschen Deutschlands gegen den moralischen Zynismus des Adels und der Höfe explodiert in der mit rasender Wut gezeichneten Karikaturgestalt des Franz Moor in Schillers »Räubern«.

So verlieren die Weltanschauungskämpfe der ausgehenden deutschen Aufklärung jede Richtung. Weder die Leibniz-Wolffsche Philosophie noch der englische Sensualismus vermag den Aufklärern einen Weg zur Lösung der von ihnen aufgeworfenen tiefen und fortschrittsträchtigen Probleme zu ebnen. Goethe rettet sich in seiner Jugend vor reaktionären Entgleisungen nur dadurch, daß er jedes philosophische System ablehnt; erst bei der Entstehung der klassischen deutschen Philosophie, bei ihrer beginnenden Wendung zum objektiven Idealismus strebt er bewußt nach philosophischer Klärung. Darum sind alle Ansätze zu einer historischen und dialektischen Weltauffassung am Ende der deutschen Aufklärung so spontan, so bloß ahnungsvoll, so ungeklärt und so schwankend. So findet denn der krönende Abschluß der Aufklärung, die Französische Revolution, in Deutschland eine fieberhafte Gärung, eine Auflösung, eine Krise vor, während in Frankreich zwar die großen Begründer und Ausbauer der Aufklärungsphilosophie nicht mehr leben, ihre Ideen jedoch von gewaltigen Volksbewegungen, die ihre Widersprüche gleichsam in der Praxis vorführen, in Taten umgesetzt werden. Wenn die Französische Revolution auch im allgemeinen von der deutschen Aufklärung begeistert begrüßt wurde, so ist es daher doch nicht verwunderlich, daß die ungenügend fundierte Begeisterung den revolutionären Ereignissen nicht standhalten konnte, daß vielmehr gerade der Gipfelpunkt der Revolution eine Enttäuschung, eine Abkehr hervorrief. Aber man muß auch die andere Seite sehen. Als das »Reich der Vernunft« der Aufklärungsideologie aus der Revolution als bürgerliche Gesellschaft mit ihren inneren Widersprüchen emporstieg, wurde – und das ist kein Zufall – der erste Versuch, das widerspruchsvolle Wesen des neuen Phänomens zu begreifen, in der deutschen Dichtung und Philosophie unternommen.

2

Das Zwischenspiel des klassischen Humanismus

Die klassischen Perioden der Literatur, der Kunst oder der Philosophie pflegen nur kurz zu sein. Eine ästhetische Harmonie, die nie auf der Grundlage einer Verfälschung der Wirklichkeit, einer Abwendung von ihren Widersprüchen entstehen kann, hat gesellschaftliche Voraussetzungen, die selten für längere Zeit wirksam werden können. Gerade die Verbindung rücksichtsloser Wahrhaftigkeit mit Schönheit macht das Wesen der Klassik aus im Gegensatz zu ihren Entartungen, zu Klassizismus und Akademismus. Die gesellschaftlichen Widersprüche treten im allgemeinen entweder schon zu schroff auf oder sind noch zu unentwickelt, um den Beziehungen der Menschen zueinander klare, ausdrucksvolle und schöne Konturen zu geben, so daß es im Laufe der bisherigen Geschichte nur in kurzen Ausnahmezuständen möglich war, Schönheit zu erringen, ohne die unerschrockene künstlerische Wahrhaftigkeit hintanzustellen. Die Chancen für eine ganze derartige Periode, für das Werden eines Raffael, Mozart oder Puschkin sind sehr gering und bestehen immer nur kurze Zeit. Das gilt für Deutschland infolge der geschilderten Umstände noch mehr als für andere Länder. Goethe ist sich über die Grundlagen einer deutschen Klassik völlig klar. Er geht so weit, daß er sogar gerade inmitten der klassischen Periode ihre Möglichkeit für Deutschland bezweifelt. Im Jahre 1795 schreibt er über die Frage, weshalb es in Deutschland keine klassischen Schriftsteller im eigentlichen Sinne geben könne: »Wer mit den Worten, deren er sich im Sprechen oder Schreiben bedient, bestimmte Begriffe zu verbinden für eine unerläßliche Pflicht hält, wird die Ausdrücke: *klassischer Autor, klassisches Werk* höchst selten gebrauchen. Wann und wo entsteht ein klassischer Nationalautor? Wenn er in der Geschichte seiner Nation große Begebenheiten und ihre Folgen in einer glücklichen und bedeutenden Einheit vorfindet; wenn er in den Gesinnungen seiner Landsleute Größe, in ihren Empfindungen Tiefe und in ihren Handlungen Stärke und Konsequenz nicht vermißt; wenn er selbst, vom Nationalgeist durchdrungen, durch ein einwohnendes Genie sich fähig fühlt, mit dem Vergangnen wie mit dem Gegenwärtigen zu sympathisieren; wenn er seine Nation auf einem hohen Grade der Kultur findet, so daß ihm seine eigene Bildung leicht wird; wenn er viele Materialien gesammelt, vollkommene oder nur unvollkommene Versuche seiner Vorgänger vor sich sieht und so viel äußere und innere Umstände zusammentreffen, daß er kein schweres Lehrgeld zu zahlen braucht, daß er in den besten Jahren seines Lebens ein großes Werk zu übersehen, zu ordnen und in *einem* Sinne auszuführen fähig ist.«

Goethe und mit ihm Schiller erkennen von Anfang an ganz klar die gesellschaftlich-geschichtliche Problematik ihrer klassischen Bestrebungen. Die ungeheure Bedeutung ihrer Schriften, die das Wesen dieser Periode theoretisch umreißen – neben den ästhetischen Schriften Schillers sei vor allem Goethes »Der Sammler und die Seinigen« sowie der Briefwechsel beider genannt –, liegt darin, daß sie die Problematik ihrer eigenen Bestrebungen als historisch objektiv notwendig erkennen und die spezifischen Formgesetze der modernen Kunst, und zwar einer zeitgenössischen Klassik, gerade aus dieser widerspruchsvollen Grundlage ableiten.

Die Erkenntnis dieser Problematik ist ein säkulares Ereignis für die europäische Literaturgeschichte. Freilich gibt es schon seit dem Ende des achtzehnten Jahrhunderts verschiedene Versuche, das Wesen der modernen Literatur im Vergleich mit der Antike zu bestimmen. Diese Versuche sind aber meist empirischen Charakters und können deshalb weder die eigenartige Größe noch die eigenartige Problematik der modernen Kunst erfassen, deren Theorie erst in der deutschen Klassik historisch wie ästhetisch eigentlich begründet wurde.

Aber jede theoretische Begründung ist für Goethe und Schiller nur eine Vorarbeit zur literarischen Praxis. Die deutsche Klassik hat ihre Bedeutung in der Weltliteratur als Brücke vom Realismus der Aufklärungszeit zum großen Realismus der ersten Hälfte des neunzehnten Jahrhunderts. Sie kann eine solche Brücke sein, weil sie geistig wie künstlerisch das Erbe der Aufklärung übernimmt (erst bei Balzac findet ein bewußter Bruch mit der Ästhetik der Aufklärung statt), obwohl im Mittelpunkt der Arbeit Goethes und Schillers die neuen Probleme des von der Französischen Revolution geschaffenen Weltzustandes stehen und die Erkenntnis in Theorie und Praxis auf die veränderte Geltung der alten, aus der Antike entnommenen ewigen Formgesetze und auf die entsprechende Gestaltung des neuen Stoffes gerichtet ist.

Schon dieser Umriß der ästhetischen Fragestellung zeigt, daß die deutsche Klassik nur ein kurzes Zwischenspiel auf schmaler Grundlage sein konnte. Strenggenommen umfaßt sie eine etwa zehnjährige Periode (1794 bis 1805) im Leben zweier genialer Schriftsteller. Natürlich kann man die Grenzen etwas ausdehnen, die »Iphigenie«-»Tasso«-Zeit Goethes, die klassizierenden Gedichte Schillers als Vorspiel und Goethes »Winckelmann« und »Pandora« als Nachspiel gelten lassen. Aber auch dann schließt die eigentliche klassische Periode mit der Schlacht von Jena ab. Es wirkt wie ein historisches Symbol, daß sowohl der erste Teil von Goethes »Faust« wie Hegels »Phänomenologie des Geistes« ungefähr um diese Zeit zum Abschluß gelangen.

Das ist kein Zufall. Die sozial-psychologische Grundlage der deutschen Klassik ist die Französische Revolution und der durch sie geschaffene neue Weltzustand. Aber diese Grundlage kann nur so lange die Klassik fördern, wie die deutschen Schriftsteller sich zu ihr als unmittelbar unbeteiligte Zuschauer zu verhalten imstande sind. So setzt anderseits der große Realismus der ersten Hälfte des neunzehnten Jahrhunderts in Frankreich und England erst dann ein, als für die Schriftsteller – Scott, Balzac, Stendhal – ein historischer Rückblick auf die abgeschlossene Revolutionsperiode möglich wird. Sobald – und dies tritt nach 1806 ein – die Weltlage politische Entscheidungen vom deutschen Volk verlangt, ist es mit der klassischen Zuschauerrolle des Schrifttums zu Ende. Sowenig im Laufe der Kämpfe gegen Napoleon in Deutschland wirkliche Volksbewegungen entstanden sind, sosehr auch jetzt das deutsche Volksschicksal von ausländischen Mächten und inländischen Despoten abhängig blieb, so wurde doch das deutsche Volk zum erstenmal seit dem sechzehnten Jahrhundert auf den Kreuzweg einer wirklichen Wahl gestellt.

Die so gründlich veränderte politisch-soziale Lage wandelte naturgemäß die literarischen Probleme, mit denen wir uns im nächsten Kapitel auseinandersetzen. Und obwohl Goethe sich von seinem Weg nicht verdrängen ließ, obwohl er auch jetzt, fast rein auf sich selbst gestellt, noch immer eine literarische Großmacht blieb, wird doch die Zeit nicht mehr von ihm und seinen klassischen Bestrebungen, sondern von der Romantik bestimmt. Die entschiedene Veränderung der literarischen Atmosphäre wirkte natürlich auch auf Goethes Gestaltungsweise zurück, so daß jener eigentlich weimarische Stil, der »Reineke Fuchs«, »Wilhelm Meister« und »Hermann und Dorothea« untereinander und mit dem »Wallenstein« verbindet, einer moderneren Darstellungsweise weichen muß, die sich der neuzeitlichen »barbarischen Avantagen« bedient.

Es ist seit den Debatten jener Zeit ein Gemeinplatz, daß sich die deutsche Klassik aristokratisch-ästhetisch und stilisierend vom Leben abschließe. Solche Gemeinplätze pflegen ein Gran Wahrheit zu enthalten, daneben aber viel Verzerrungen des wirklichen Tatbestandes. Die Grundhaltung der deutschen Klassik ist ohne Zweifel eine ästhetisch-kontemplative. Aber erstens ist diese Ästhetik das Ergebnis einer großen – typisch deutschen, weil im deutschen Elend begründeten – Tragödie. Wir haben bereits hervorgehoben, daß am Ende der deutschen Aufklärungsbewegung der Weimarer Zusammenbruch Goethes und das Mainzer Scheitern Georg Forsters stehen. Man kann hinzufügen, daß Schiller in seinem Innern auf dem Wege von den »Räubern« zum »Don Carlos« eine ähnliche Tragödie erlebte. Seine Jugend erfüllt die dramatische Gestaltung der moralischen Problematik der Revolutionäre. Der durchgehende tragische Zwiespalt seiner Jugenddramen: Brutus oder Catilina, ist, politisch-moralisch gewendet, auch ein praktisches Problem der Revolution selbst gewesen. Auf dem Weg der Gestaltung stieß Schiller auf die äußeren und inneren Schranken des deutschen gesellschaftlichen Seins und erkannte schließlich das Scheitern seiner revolutionären Bestrebungen. Die Herrschaft des Ästhetischen bedeutet also bei Goethe und Schiller von vornherein eine Entsagung. Keiner von ihnen war nur zum Schriftsteller geboren; beiden hat erst die deutsche Misere eine reine Dichterexistenz aufgezwungen. Aber gerade weil das so ist, ist ihre Resignation auf die Ästhetik weder ästhetenhaft noch schwächlich. Entsagung bedeutet für die deutsche Klassik den Versuch, aus ihrer tragisch gewordenen Lage für das Verständnis der Zeit und damit für die Vorbereitung einer kommenden Volksbefreiung soviel wie möglich herauszuschlagen.

Deutschland ist in der geschichtlichen Wirklichkeit Zeitgenosse der Französischen Revolution. Seine ökonomisch-soziale Entwicklungsstufe und die Bewußtseinshöhe seiner Massen erlaubten es jedoch nicht, daß das Feuer der Revolution einen Brand der Befreiung entfachte und damit Deutschland zu einem Volk, zu einer Nation werden ließ. Nur die Avantgarde der Intelligenz, die Spitzen der deutschen Literatur und Philosophie waren in tieferem Sinne Zeitgenossen der großen Umwälzung, wobei auch das mit den früher angedeuteten Vorbehalten zu verstehen ist. Aus dieser Lage folgt eine noch zugespitztere soziale und geistige Vereinsamung der Vorhut als in der vergangenen Periode: das Georg-Forster-Schicksal.

Eine wirkliche Treue zu den Ideen der großen Revolution konnte nur Variationen dieser Tragödie herbeiführen. Der größte, ergreifendste Fall ist der Leidensweg und Untergang Hölderlins, dessen Bild völlig verzerrt in der deutschen Literaturgeschichte lebt. Von seinen Zeitgenossen wurde er verkannt, die späteren haben ihn mißverstanden oder gar verfälscht. Schon Hettner bewies kein tieferes Verständnis für ihn, wenn er seine Wirksamkeit als Nachklang der Sturm-und-Drang-Zeit auffaßt. Die vollständige Verzerrung seines Bildes beginnt bei Haym, bei dem er als »Seitentrieb der Romantik« erscheint, und seitdem vererbt sich die Angliederung des verspäteten und vereinsamten Revolutionärs Hölderlin an die reaktionäre Romantik, bis ihn auf der Grundlage solcher Verfälschungen sogar die Nazis für sich reklamierten.

Anderseits treten in der dünnen Atmosphäre der Klassik Nachteile und Vorzüge der deutschen Entwicklung noch schärfer hervor als in der Aufklärung. Wenn die deutschen Denker und Dichter Probleme der sozialen und politischen Wirklichkeit ins rein Ideelle übersetzten, so verzerrten und verschoben sie damit die Problematik (auch bei Fragen moralischen Charakters) schon in der Vorbereitungszeit der Revolution. Jetzt, als die geistige Vorbereitung von Taten abgelöst wurde, mußte es sich zeigen, daß auch die fortgeschrittenste deutsche Intelligenz dem Gang der Revolution nicht zu folgen vermochte. Sie versagte bei den großen politischen Ereignissen vollständig. Wohl gab es anfangs begeisterte Teilnahme; sie war aber viel zu abstrakt, weltfremd, sozial und politisch wurzellos, um dem Gang der Umwälzung, besonders ihrer plebejischen Wendung, folgen zu können. Es ist bezeichnend, wie die Hinrichtung Ludwigs XVI. auf Klopstock, Herder, Schiller und andere wirkt, und Goethes alberne Lustspiele gegen den Jakobinismus sind Sinnbilder der echt deutschen politischen Hilflosigkeit.

Es wäre aber eine unzulässige Vereinfachung der Frage, wollte man hier stehenbleiben und etwa Goethes Verhältnis zur Französischen Revolution aus dem Gesichtswinkel des »Bürgergenerals« betrachten. Nein, neben den noch schroffer hervortretenden alten Schranken sind auch die alten Vorzüge des Zuendedenkens und des Weitergestaltens lebendig geblieben. Dabei geht es allerdings nicht um die politischen Ereignisse der Revolution, sondern um den sozialen Inhalt der Umwälzung. Natürlich kommt in diesem Zwiespalt mit all seinen spießbürgerlichen Folgen ebenfalls ein gutes Stück deutscher Misere zum Ausdruck; in ihm steckt aber auch etwas Berechtigtes: nämlich die Auffassung Deutschlands als eines vorrevolutionären, noch weit von einer wirklichen Umwälzung entfernten Landes, für das die sozialen Gegenwartsprobleme des großen Umsturzes Fragen der eigenen, wenn auch fernen Zukunft sind, auf die die Gebildeten und das Volk langsam vorbereitet werden müssen.

Von diesem Gesichtspunkt aus ergibt die Betrachtung der klassischen Stoffe ein neues und eigenartiges Bild. Die Reife Wilhelm Meisters, der Abschluß seiner Irrungen ist mit den Unternehmen Lotharios und seines Kreises verknüpft, die ausdrücklich gegründet sind auf die – freilich friedliche – Beseitigung der feudalen Überreste in der Landwirtschaft. Nur nebenbei sei erwähnt, daß Lothario selbst an der Seite Washingtons in Amerika gegen die englischen Unterdrücker gekämpft hat. »Die natürliche Tochter« war als erster Teil einer Trilogie entworfen, in der die Vorgeschichte der Französischen Revolution, die Korruption und moralische Auflösung »oben« dargestellt werden sollte. Dasselbe Thema behandelte Goethe einige Jahre früher in »Reineke Fuchs« mit kräftig satirischen Zügen, die freilich immer wieder in eine Satire auf die entstehende bürgerliche Gesellschaft umschlugen.

Schillers historisches Werk über den Niederländischen Aufstand (wie schon früher »Egmont« und »Don Carlos«) und »Wilhelm Tell« sind deutsche Zukunftsbilder aus fremden Vergangenheiten: Bilder einer Revolution, die Goethe und Schiller für notwendig und heilsam halten. (Natürlich kommen bei diesem Thema die spießbürgerlichen Züge der deutschen Klassik besonders deutlich zum Vorschein.) Den Inhalt vom »Wallenstein«, der »Jungfrau von Orleans« bilden die Kämpfe der Völker um ihre nationale Einheit, um ihr Werden zur Nation überhaupt.

Man kann zusammenfassend sagen: die deutsche Klassik bearbeitet fast ausnahmslos große politisch-soziale Zeitfragen. Als »ästhetische« Ausnahme kann nur Goethes »Achilleis«-Fragment gelten und Schillers »Braut von Messina«, die aber einen – freilich mißlungenen – Versuch darstellt, die spezifische Tragik der ganzen Periode in den allgemeinsten Umrissen zu gestalten.

Natürlich sind alle Werke dieser Periode in der Gestaltung aufs äußerste objektiviert, mit größtem Nachdruck und höchster Bewußtheit in eine rein ästhetische Sphäre gehoben. Aber gerade dadurch kommt der stoffliche Gehalt ungetrübt zur Wirksamkeit.

Das rein ästhetische Verfahren in der Gestaltung und dementsprechend in der Theorie bringt Goethe und Schiller in Gegensatz zu den hervorragenden Vertretern der deutschen Aufklärung. In der großartigen Absichtlichkeit der Diderot und Rousseau, deren Erbe in Deutschland vor allem Lessing war, liegt zweifellos etwas, was an sozialem Pathos, aber auch an realistischer Wucht der deutschen Klassik überlegen ist. Allein gerade unter deutschen Bedingungen entstand hier eine Gefahr für die große Literatur. Lessings politische, philosophische und ästhetische Kultur war nötig, um die realistische Gegenständlichkeit der Gestaltung mit dem Pathos der aufklärerischen Absicht zu vereinen – erklärt doch der alte Goethe einmal, daß alle Schriftsteller der Gegenwart Barbaren seien im Vergleich zu der Kultur, die Lessing besessen habe. Schon beim jungen Schiller und noch stärker im Sturm und Drang führt die Priorität der Absicht zu verzerrten Gesamtbildern der Wirklichkeit, die trotz aller Echtheit der realistischen Einzelbilder letztlich unwahr sind; bei den kleineren Geistern entstand daraus eine Literatur, die sich in ihrer Verschwommenheit anspruchsvoll gebärdete oder spießbürgerliche Tendenz atmete.

Die »ästhetische Erziehung« durch Goethe und Schiller war also für die deutsche Literatur, für eine realistische Bewältigung der Probleme einer großen Übergangsepoche unvermeidlich, zumal ihr ästhetischer Imperativ, ihr Formbegriff nie formalistisch war, sondern auf einer tief geistigen Bearbeitung des Gehalts beruhte. Die Formgebung der Klassik stellt die entscheidende Forderung der »absoluten Bestimmtheit des Gegenstandes«. Die klassische Literatur Deutschlands stieß auf einen widerspruchsvollen Stoff. Weltanschaulich und künstlerisch schwebten ihr gewaltige Probleme einer großen Zeit vor, und als unmittelbaren Stoff besaß sie die kleinliche Armseligkeit des deutschen Lebens. Goethe und Schiller waren sich der beiden Gegebenheiten für ihr Schaffen bewußt und erkannten, daß diese Ungunst des Stoffes zwar zunächst ein spezifisch deutsches Problem ist, daß ihre allgemeinsten, allertiefsten Wurzeln jedoch in das Wesen des modernen bürgerlichen Lebens überhaupt hinabreichen.

Darum sind die stilistischen Bestrebungen Goethes und Schillers keineswegs nur von örtlich deutscher Bedeutung. Die künstlerische Überwindung der eigentlich deutschen Schwierigkeiten des Stoffes bereitete die erste Etappe des großen Realismus im neunzehnten Jahrhundert vor. Wir sagten bereits: als Folge der Französischen Revolution zeigt sich das aufklärerische »Reich der Vernunft« als »Reich der Bourgeoisie«; der von der Aufklärung als gradlinig vorgestellte Weg des Fortschritts und der Humanität erweist sich als ein Knäuel von Widersprüchen: der Kampf gegen den Feudalabsolutismus wandelt sich zu einem geistigen Kampf um die Verständigung innerhalb der fortschrittlichen Gedankenwelt selbst, um Erkenntnis des Woher und Wohin der bürgerlichen Gesellschaft. Die ästhetisch-kontemplative Haltung im großen Realismus der ersten Hälfte des neunzehnten Jahrhunderts ist also einerseits zwar ein Rückschritt gegenüber dem kämpferischen Pathos der Aufklärung (das erst im russischen Realismus, vereint mit den Errungenschaften dieser Periode, neu ersteht), anderseits ermöglicht sie aber ein vertieftes Eindringen in die gesellschaftlichen Erscheinungen der neuen Zeit, in die Psychologie des neuen Menschen, in die gesellschaftliche Wirklichkeit überhaupt, die in ihrer geschichtlichen Bedingtheit erkannt wurde.

Die veränderte Weltlage ergibt die Notwendigkeit, auch die Formfragen der Literatur neu zu stellen. Aber bei solchen Wendungen, bei solchen plötzlichen Bereicherungen des sozialen Gehalts entsteht für die Kunst immer wieder die Gefahr der Formauflösung. Goethes und Schillers eigenartige ästhetische Leistung besteht gerade darin, daß sie den ganzen Reichtum des neuen Gehalts aufnehmen und doch seine Bewegtheit in der Gestaltung so bewältigen, daß die klassische Reinheit der Formgebung bewahrt bleibt, ja noch eine Höherentwicklung der Formenwelt verspricht.

Die Theorie der modernen Literatur, die Goethe und Schiller ausarbeiteten, beruht auf einer doppelten Erkenntnis, auf der Erkenntnis des Reichtums und zugleich der ästhetischen Gefahr des neuen Lebens. Sie fordert den Kampf gegen die künstlerische Ungunst des Stoffes im Namen der Schönheit. Darum steht im Mittelpunkt der klassischen Literaturtheorie die Forderung nach Klarheit über Zusammenhang und Verschiedenheit der literarischen Gattungen. Die Gattungstheorie der Klassik ist nie formalistisch. Sie entspringt aus der Schillerschen Forderung der »absoluten Bestimmtheit des Gegenstandes«. Für einen Stoff die angemessene Gattung zu finden, bedeutet die Entdeckung und Befreiung der Seele des Stoffes selbst. Der allgemeinen Lage der modernen Literatur entsprechend, kommt es Goethe und Schiller vor allem auf die sorgfältige Trennung von Epik und Dramatik an. Darin sind sie Fortsetzer der Bemühungen Lessings, gehen aber auch neue Wege – hatte doch die Gattungstheorie Lessings vor allem die neuen literarischen Kampfeinheiten herausgearbeitet aus dem Wust der feudalabsolutistischen Überlieferungen und der Folgeerscheinungen bürgerlicher Schwäche in der Frühzeit der Emanzipation.

Die Klarheit über die Trennung der Gattungen ist eine höhere Potenz der ästhetischen Kontemplation in der neuen Periode. Die Fragestellung Goethes und Schillers enthält nämlich einen Zwiespalt. Entweder soll aus dem Studium der Antike das System jener künstlerischen Gesetzmäßigkeiten abgeleitet werden, mit deren Hilfe der Künstler die besondere Eigenart des modernen Lebens ausdrücken kann; die Klarheit über die Gattungen dient dann dazu, die Formen und die Formgesetze der modernen bürgerlichen Periode zu entdecken und aufzubauen. Oder aber es soll aus dem Studium der Antike ein System allgemeiner, zeitloser Gesetze erwachsen, mit deren Hilfe auch in der Gegenwart – trotz der kunstfeindlichen Problematik des gegenwärtigen Lebens – eine klassische Kunst geschaffen werden kann; in diesem Falle geht es um die Überwindung der gesellschaftlich-inhaltlichen Problematik der bürgerlichen Gegenwart mit Hilfe der schöpferisch erneuerten antiken Form.

In der künstlerischen Praxis der Weimarer Periode finden wir beide Bestrebungen: »Wilhelm Meister«

belegt die erste, »Hermann und Dorothea« die zweite. Allerdings neigten Goethe und Schiller, besonders Schiller, dazu, im zweiten Weg den eigentlich künstlerischen zu erblicken. Darin liegt ein spezifischer, wesentlicher Zug der Weimarer Klassik; darin zeigt sich eine bestimmte Schranke in der vollen Bewältigung der neuen Wirklichkeit, darin offenbart sich jedoch auch das unablässige Ringen, in der neuen Welt die alte Schönheit zu entdecken und zu beleben, und zwar als befreite Seele des Stoffes, nicht als etwas formalistisch in ihn Hineingetragenes. Das Ringen um Schönheit ist bei Goethe auch dann lebendig, wenn er den ersten Weg einschlägt. Dies bestimmt seine Stellung zum vorangehenden und folgenden großen Realismus. An ausgedehnter Totalität oder an einem alle Tiefen aufwühlenden Realismus läßt sich der »Wilhelm Meister« weder mit Lesage oder Defoe noch mit Balzac oder Stendhal vergleichen. Aber Lesage wirkt trocken, Balzac verworren und überladen neben der reichbewegten Schlankheit der Komposition und der Charaktergestaltung in Goethes Roman.

Für den Nachgeborenen ist der Zusammenhang der Bestrebungen Goethes und Schillers mit der Aufklärung deutlich; die Zeitgenossen aber empfanden verständlicherweise den Gegensatz als wichtiger. Darin liegt der Grund für den offenen Bruch zwischen Goethe und Herder, dem freilich Reibungen lange vorangegangen waren. Infolge seiner aufklärerischen Weltanschauung, die die Herrschaft der ästhetischen Prinzipien über die Moral in der Gestaltung nicht dulden wollte, überredete Herder Goethe unter anderem dazu, die »Römischen Elegien« und die »Venetianischen Epigramme« nicht zu veröffentlichen. Als in der Zusammenarbeit Goethes mit Schiller der neue Grundsatz offen hervortrat, spricht Herder seine Unzufriedenheit klar aus: »Goethe denkt hier anders:

Wahrheit der Szenen ist ihm alles, ohne daß er sich eben um das Pünktchen der Waage, das aufs Gute, Edle, auf die moralische Grazie weiset, ängstlich bekümmert.« Und später nennt er die Goetheschen Balladen »Der Gott und die Bajadere«, »Die Braut von Korinth« geradezu Verherrlichung des Priapus.

Hier schlägt das Vorrecht des Moralischen unter den kleinlichen Bedingungen in eine Spießerei um, die um so schwerer wiegt, als Herder nicht bei der Kritik einzelner Werke Goethes und Schillers stehenbleibt, sondern gleichzeitig mit Schillers Schriften ebenfalls das Problem von Neu und Alt in der deutschen Literatur behandelt, aber – auch hier wird eine deutsche Tragödie sichtbar – mit deutlicher Rückwendung zu den längst überwundenen Ansichten der deutschen Aufklärung. Es wäre möglich gewesen, die kämpferische Kultur Lessings den ästhetischen Bestrebungen Goethes und Schillers entgegenzustellen. Indem aber Herder bis zu Gleim und ähnlichen Autoren weiter zurückging, endete der große Bahnbrecher für das Verständnis historischer Widersprüche als spießbürgerlicher Ruhmredner veralteter kleinlicher Idylle.

Ähnlich, vielleicht nur noch schwieriger ist die Frage zu beantworten, die der aristokratische Zug in der ästhetischen Kultur Goethes und Schillers stellt. Von Schillers Besprechung der Werke Bürgers bis zu Jean Pauls Aufbegehren gegen die Weimarer Klassik wird durch ihn ein Gegensatz hervorgerufen, der in der späteren Entwicklung der deutschen Literatur noch eine große Rolle spielt. Ohne Frage bedeutet die strenge Formgebung der Weimarer Klassik eine gewisse Abwendung von jener Neigung zu breiter Volkstümlichkeit, die in Goethes und Schillers Jugend lebendig war, als sich auch die Antike, auch Homer und Pindar, in einer Weltvolkskunde, in einer Allgemeinheit der Volkspoesie aufzulösen schienen.

Aber nur in der Formgebung ist bei Goethe und Schiller eine Abkehr von der unmittelbaren Volkstümlichkeit vorhanden; nie ist ein volksfremder Gehalt von ihnen gestaltet worden. Schillers »Tell« und »Jungfrau«, sein »Wallensteins Lager« zeigen, wie er seine Tragödien auf der breiten Grundlage von Volksbewegungen aufzubauen bestrebt ist. Noch deutlicher wird das bei Goethe, dessen Reihe volkstümlicher Frauengestalten in der Jugend anfängt und in der klassischen Periode weitergeführt wird; sie geht von Gretchen und Klärchen bis zu Dorothea und Philine. Dabei kommt in steigendem Maße die menschlich-moralische, gerade die humanistische Überlegenheit der volkstümlichen Gestalten über die aus höheren Gesellschaftskreisen zum Ausdruck.

Mit alledem ist freilich der Gegensatz nicht aufgehoben, das Problem nicht gelöst. Bürger, Voß und auch Jean Paul sind zweifellos volkstümlichere Schriftsteller als Goethe und Schiller. Für die Entwicklung der großen Literatur ist jedoch die Frage entscheidend von welcher Gesinnung aus eine tiefere, umfassendere und wahrhaftigere Übersicht der Lebenstotalität zu gewinnen ist.

Jean Paul ist der bedeutendste Widerpart der Weimarer ästhetischen Aristokratie. Er hat auch im Vorwort zu »Quintus Fixlein« seine Auffassung klar ausgesprochen:

»Ich konnte nie mehr als drei Wege, glücklicher (nicht glücklich) zu werden, auskundschaften. Der erste, der in die Höhe geht, ist: so weit über das Gewölke des Lebens hinauszudringen, daß man die ganze äußere Welt mit ihren Wolfsgruben, Beinhäusern und Gewitterableitern von weitem unter seinen Füßen nur wie ein eingeschrumpftes Kindergärtchen liegen sieht; der zweite ist: gerade herabzufallen ins Gärtchen und da sich so einheimisch in eine Furche einzunisten, daß, wenn man aus seinem warmen Lerchennest hinaussieht, man ebenfalls keine Wolfsgruben, Beinhäuser und Stangen, sondern nur Ähren erblickt, deren jede für den Nestvogel ein Baum und ein Sonnen- und Regenschirm ist. – Der dritte endlich – den ich für den schwersten und klügsten halte – ist der: mit den beiden anderen zu wechseln.«

Der gefühlsmäßige Ausgangspunkt Jean Pauls ist gewiß volkstümlicher als der der Weimarer Klassik. Daraus entsteht jedoch unter den deutschen Verhältnissen nicht eine leidenschaftlichere Aufdeckung der großen Widersprüche des modernen Lebens wie bei Dickens und im russischen Roman, sondern nur eine kleinbürgerliche Versöhnung mit der elenden deutschen Wirklichkeit. Jean Paul stellt zur Rechtfertigung seines »zweiten Weges« die rhetorische Frage: »Was soll ich dem stehenden und schreibenden Heere beladener Staat-Hausknechte, Kornschreiber, Kanzellisten aller Departements und allen im Krebskober der Stadtschreibstube aufeinandergesetzten Krebsen, die zur Labung mit einigen Brennesseln überlegt sind, was soll ich solchen für einen Weg, hier selig zu werden, zeigen?« – Im Politischen war Jean Paul zweifellos persönlich radikaler als Goethe und Schiller. Unter den Bedingungen des deutschen Elends aber war die aristokratisch-ästhetische Haltung Goethes und Schillers sachlich radikaler, energischer und auch zukunftsträchtiger als Jean Pauls volkstümlicher Humor.

Diese Schranke liegt nicht in Jean Pauls Persönlichkeit. Klinger unterscheidet sich von Jean Paul in jeder Hinsicht; wenn aber am Schluß seines »Faust« der Teufel den Helden beschuldigt, daß er sich nur um die Oberen gekümmert und das Volk mißachtet habe, so erhält man folgendes Gegenbild zu den Lastern der Oberschichten: »Hättest du da angeklopft, so würdest du ... gefunden haben ... den Menschen in stiller Bescheidenheit, großmütiger Entsagung, der unbemerkt mehr Kraft der Seele und mehr Tugend ausübt als eure im blutigen Felde und im trugvollen Kabinett berühmten Helden.« Auch hier wird deutlich, daß eine solche Art der Volkstümlichkeit rückschrittlicher ist als die ästhetisch-kontemplative Erkenntnis der dialektischen Bewegung in der Gesamtgesellschaft.

In beiden Fällen erkennt man aus der – wenn auch bei unterschiedlichem Gefühlston – ähnlichen politisch-sozialen Einstellung die schroff einseitige Ablehnung der »großen Welt«, wie Goethe in einem »Faust«-Entwurf sagt, und die ebenso schroff einseitige Verherrlichung der »kleinen Welt«. Natürlich ist in dieser Verherrlichung ein Schuß guter Aufklärungstradition enthalten. Aber in der älteren Aufklärung lag darin ein revolutionärer Appell an die unteren gesunden Volkskräfte (in Deutschland am stärksten in »Kabale und Liebe«); es sollte damit vor allem der entstehende neue Mensch der verkommenen alten Gesellschaft gegenübergestellt werden. Nach dem Sieg der Französischen Revolution verändert sich die Lage aber gerade darin, daß der neue Mensch über das rein Polemische hinauswächst und zum – sehr problematischen – Gebieter der neuen Wirklichkeit werden muß. Die »große Welt« wird damit zu seinem eigensten Wirkungsfeld. Diese Wendung der Literatur erhält erst bei Balzac ihren ganz angemessenen, stoffechten schriftstellerischen Ausdruck. Aber die Weimarer Klassik bildet doch ein nicht unwesentliches Vorspiel dieser Entwicklung. Die Volkstümlichkeit Bürgers, Klingers, Jean Pauls und anderer führt – bei allen guten, ja erhabenen Absichten – zu einer lyrischen, pathetischen oder humoristischen Verklärung der kleinbürgerlich-spießerhaften deutschen Misere.

Der klassische Humanismus Deutschlands ist aber in dieser Entwicklung mehr als ein bloßes Vorspiel zum großen Realismus der ersten Hälfte des neunzehnten Jahrhunderts. Mit seiner »inkommensurablen Produktion«, mit dem »Faust« – der »Ilias des modernen Lebens« (Puschkin) – schafft Goethe ein eigenartiges Gipfelwerk der Weltliteratur. Obwohl der »Faust«-Plan in Goethes Jugendzeit entsteht, ist es sicher kein Zufall, daß die Gesamtheit des Werkes erst in dieser Periode bestimmtere Formen annimmt: es wächst hinaus über den Rahmen der »kleinen Welt« der Gretchentragödie in die »große Welt« der Unterwerfung des Lebens durch den neuen Menschen.

Damit wird der ursprüngliche »Faust«-Plan wesentlich verändert, erweitert und vertieft. Sein tragischer Charakter wird beibehalten, aber das Wesen des Tragischen hat sich bei Goethe verändert. Goethe hält die Tragödie weiter aufrecht als Prinzip des einzelnen Menschen, der einzelnen Entwicklungsstufen in Fausts Weltwirkung. Das Werk bildet eine Kette von Tragödien. Auch die letzte Stufe der wirklichen Tat, die Versöhnung Fausts mit der Wirklichkeit als Stoff, Gegenstand und Ergebnis seiner Wirksamkeit, bleibt tragisch.

Das Tragische ist jedoch in der Vollendungsperiode der Goetheschen Weltanschauung kein *letztes* Prinzip mehr. Er befindet sich damit in tiefer Übereinstimmung mit der Aufklärung, in deren Zukunftsansicht einer Lessingschen »Erziehung des Menschengeschlechts« das Tragische keinen Platz hat. (Man denke an Lessings »Faust«-Fragment!) Die Aufklärung kennt die Tragödie nicht als Lebensprinzip, sondern nur als Mittel der Volkspädagogik. Bei Goethe ist die Wechselwirkung zwischen Setzen und Aufheben des Tragischen inniger, dialektischer geworden; nur die Entwicklung der Gattung, der

Menschheit schreitet unwiderstehlich voran. Die Gattung ist aber nur in Individuen verwirklicht, und die Bestrebungen der Individuen sind immer und überall tragisch. Das Untragische der Menschheitsentwicklung baut sich also aus einer ununterbrochenen Reihe von Tragödien auf. Die unauflösbaren Widersprüche des Menschenlebens, der Gesellschaft, der Perioden werden nur in der Gesamtheit der Menschheitsgeschichte aufgehoben.

Dieser Plan des »Faust« taucht in der Weimarer Periode auf; zu seiner Vollendung sind aber noch die Erfahrungen von Jahrzehnten notwendig. Darum wächst das Werk dem Gehalt wie der Form nach über die Weimarer Klassik hinaus, obwohl die letzte Sehnsucht und Vollendung des Helden, »auf freiem Grund mit freiem Volk zu stehen«, sich durchaus im Einklang mit dem klassischen Humanismus befindet. Aber in dem Gesamtplan des Weltgedichts steht Goethe dem großen Realismus der unmittelbar auf ihn folgenden Zeit am nächsten. Freilich nur in dem Gesamtplan, denn äußerlich-stilistisch läßt sich kein größerer Gegensatz denken als der zwischen dem letzten Produkt der »Kunstperiode« und dem gesellschaftskritischen Realismus Frankreichs und Englands.

In den letzten Werken Goethes erfolgt ein wichtiger Wandel des klassischen Humanismus, der die Annäherung an den Realismus ermöglicht und zugleich zeigt, wie aufmerksam Goethe den entscheidenden Wandlungen der gesellschaftlichen Struktur gefolgt ist und wie richtig er sie beurteilte. Der klassische Humanismus ging auf eine Erkenntnis und Gestaltung des Menschen aus, um die Vielseitigkeit seiner Entwicklung, seine Würde und Unantastbarkeit zu fördern und zu verteidigen. Als Goethe in »Dichtung und Wahrheit« den Einfluß Hamanns auf seine Jugendentwicklung bespricht, faßt er das von ihm Übernommene so zusammen: »Alles, was der Mensch zu leisten unternimmt, es werde nun durch Tat oder Wort oder sonst hervorgebracht, muß aus sämtlichen vereinigten Kräften entspringen; alles Vereinzelte ist verwerflich.« In seiner Jugend gestaltete Goethe tragische »Selbsthelfer« im Kampfe um den Grundsatz der Unantastbarkeit des Menschen gegen das feudalabsolutistische deutsche Elend. Zur Zeit der Zusammenarbeit mit Schiller ging der Kampf schon darum, die Menschenwürde inmitten der modern-kapitalistischen Arbeitsteilung zu retten. Die Lösung der »Lehrjahre« war eine utopische. Die »Wanderjahre« und der zweite Teil des »Faust« anerkennen bereits die Herrschaft der kapitalistischen Arbeitsteilung. Aber der humanistische Kampf um den Menschen hat nur seine Form geändert, nicht seine entscheidende Zielsetzung. Darum gilt für das gesamte Lebenswerk Goethes, was Hegel über seine und Schillers Jugendwerke schrieb: »Das Interesse nun aber und das Bedürfnis solch einer wirklichen und individuellen Totalität und lebendigen Selbständigkeit wird und kann uns nie verlassen, wir vermögen die Wesentlichkeit und Entwicklung der Zustände in dem ausgebildeten bürgerlichen und politischen Leben als noch so ersprießlich und vernünftig anerkennen. In diesem Sinne können wir Schillers und Goethes poetischen Jugendgeist in dem Versuch bewundern, innerhalb dieser vorgefundenen Verhältnisse der neueren Zeit die verlorene Selbständigkeit der Gestalten wiederzugewinnen.«

3

Die Romantik als Wendung in der deutschen Literatur

Die Romantik ist das umstrittenste Gebiet der deutschen Literatur. Von Anfang an kämpfen hymnisches Lob und erbittertes Verwerfen miteinander. Schon in den vierziger Jahren, als das reaktionäre Regime Friedrich Wilhelms IV. die Romantik politisch zu erneuern versuchte, war ihre scharfe Kritik im Lager des Fortschritts eine der Hauptfragen des ideologischen Kampfes. In der imperialistischen Epoche erleben wir ein neues weltanschaulich-politisches Wiedererwachen der Romantik. Diesmal ist der ideologische Widerstand im Lager der Fortschrittsfreunde viel schwächer als in der Mitte des Jahrhunderts. Ja, die Anfänge der Erneuerung stehen im Zeichen der Anschauung, man hätte die Romantik verkannt, nicht tief genug begriffen, wenn man sie weltanschaulich und politisch als reaktionär brandmarkte. Ricarda Huch, deren Bücher neben Aufsätzen Diltheys den wichtigsten Anstoß zur Wiedergeburt der Romantik gaben, erklärt geradezu, daß »keiner von den führenden Geistern der Romantik an eine Wiederherstellung vergangener oder gar mittelalterlicher Zustände gedacht« hätte. Freilich benutzen die ausgesprochen reaktionären Literaturhistoriker und -theoretiker diese Erneuerung sofort für ihre eigenen Zwecke. Romantik wird als die eigentlich und zutiefst deutsche Strömung in der Literatur gekennzeichnet; so nennt sie Adolf Bartels eine »germanische Renaissance«, so erblickt Moeller van den Bruck in ihr einen »Willen zum Deutschtum«. In der Nachkriegszeit entsteht dann eine Spaltung unter den

Verehrern der Romantik. Die extremen Reaktionäre, vor allem Baeumler, wollen nunmehr nur die späte, ausgesprochen obskurantistische Romantik, die von Görres, Arnim und Brentano, als die eigentliche anerkennen; die Jenaer Periode der Schlegel und Novalis, in der noch Dilthey und Ricarda Huch den Mittelpunkt der romantischen Bestrebungen erblickten, betrachtet Baeumler als einen verspäteten Ausläufer des achtzehnten Jahrhunderts, als noch nicht echt romantisch. Diese scharfen Meinungsverschiedenheiten zeigen, daß die Romantik ein Hauptproblem der deutschen Ideologie und Literatur im neunzehnten und zwanzigsten Jahrhundert bildet.

Der Grundfehler in der Einschätzung und Bewertung der Romantik, der häufig auf beiden Seiten, sowohl bei Freunden wie bei Feinden, auftaucht, ist der, daß man in ihr eine feudale Bewegung erblickt. Wir werden freilich sehen, daß innerhalb der Romantik – im schroffen Gegensatz zur Aufklärung und Klassik – eine Verteidigung der feudalen Überreste Deutschlands, ja auch stilisierende Erneuerungsversuche der mittelalterlichen, der feudalen Ideologie entstehen. Die Feststellung dieser Tatsache darf uns aber nicht die klare Erkenntnis versperren, daß die soziale Grundlage der Romantik bürgerlich war. Dies ist nicht in dem Sinne zu verstehen, daß etwa die ideologischen Führer der Romantik überwiegend aus der bürgerlichen Intelligenz stammen – die Abstammung besagt hier sehr wenig: der bürgerliche Friedrich Schlegel wird zu einem Verteidiger der Metternichschen Reaktion, während der altadlige Chamisso in der Restaurationszeit zur Opposition gehört. Es geht vielmehr um die Frage, nach dem entscheidenden sozialen Inhalt der Romantik. Und dieser ist ein bürgerlicher. Das hat Heine im Kampf gegen die literarische und politische Romantik der vierziger Jahre als erster klar gesehen. Im letzten Barbarossa-Kapitel seines »Deutschland. Ein Wintermärchen« apostrophiert er den Hohenstaufenkaiser, den Idealhelden der romantischen Erneuerungsträume Deutschlands:

Das Mittelalter, immerhin,
Das wahre, wie es gewesen,
Ich will es ertragen – erlöse uns nur
Von jenem Zwitterwesen,

Von jenem Gamaschenrittertum,
Das ekelhaft ein Gemisch ist
Von gotischem Wahn und modernem Lug
Das weder Fleisch noch Fisch ist.

Jag fort das Komödiantenpack
Und schließe die Schauspielhäuser,
Wo man die Vorzeit parodiert ...

In diesen ironischen Strophen ist klar umrissen, um was es sich handelt. Auch die Romantik, auch die romantische Reaktion will die Umwandlung Deutschlands in ein modernes (und – was den meisten Vertretern damals nicht bewußt war – in ein kapitalistisches) Land, will sie jedoch *ohne* Vernichtung des Absolutismus, *ohne* Beseitigung der feudalen Überreste, der feudalen Vorrechte. Sie erstrebt also nicht eine Wiederherstellung der vorkapitalistischen Gesellschaftsordnung, sondern einen politisch und sozial reaktionären Kapitalismus, der die feudalen Überreste »organisch« in sich aufnimmt und so aufbewahrt. Man wird die deutsche Romantik nie verstehen, wenn man ihr soziales Wesen nicht klar erkennt. Sie geht von der Französischen Revolution aus, sie entstammt der nachrevolutionären Lage Europas, also der Auseinandersetzung Deutschlands mit jenem Weltereignis. Indem sie sich ideologisch findet als Reaktion gegen die Französische Revolution, wird ihre Feindschaft zur Aufklärung verständlich, erscheint ihre notwendige Abkehr von der deutschen Klassik ebenfalls als Ausdruck ihres Wesens. Deutsche Klassik und deutsche Romantik beschäftigen sich mit denselben Problemen, deren frühere Physiognomie durch den Sieg der Französischen Revolution entscheidend verwandelt wurde; die Romantik hat aber für die hier auftauchenden bedeutenden Fragen eine andere Antwort als die Klassik, eine ihr entgegengesetzte.

Aus diesen Gründen ist auch das moderne reaktionäre Suchen nach Ahnen der Romantik in der deutschen Aufklärung eine Geschichtsfälschung. Sie knüpft an widerspruchsvolle Gestalten wie Hamann und Herder an, die aber ideologisch *vor* jener Scheidung der Geister stehen, die der Sieg der Französischen Revolution hervorgebracht hat. Ihre ideologische Verworrenheit hat zwar fortschrittliche und reaktionäre Absichten zugleich, aber ihre wichtigste Bestrebung lag dennoch in der unklaren Sehnsucht nach einer konkreten historischen Dialektik, nach jenem Denken und Gestalten, das seine Vollendung in Goethe und Hegel erhielt. Mit alledem stellen sie, wie wir gesehen haben, eine Opposition *innerhalb* der deutschen Aufklärung dar; dies ist, wie wir ebenfalls gesehen haben, bei Herder schon daran kenntlich, daß er sich zu den Anfängen der deutschen Aufklärung zurückwandte, als er die Bestrebungen Goethes und Schillers nicht verstand und ablehnte.

Das Verhalten der Romantik ist von Grund aus anders. Ihre Haupttendenz ist der Bruch mit der Aufklärung. Das trat freilich nicht sofort klar hervor. Die ältere Generation der Romantik ist noch unter dem Einfluß der Ideologie des achtzehnten Jahrhunderts, der vorrevolutionären Zeit aufgewachsen. Aber alles Dunkle in den Anfängen der Romantik hellt sich unschwer auf, wenn wir darüber im klaren sind, daß diese Anfänge eben einen Lösungsprozeß von der Aufklärung vorstellen. Dabei ist wichtig zu wissen, daß dieser Vorgang – teils zugleich mit dem Kampf gegen die Aufklärung, teils in seinen zwangsläufigen Folgen – die Loslösung von der deutschen Klassik bedeutet. In diesen ideologischen Kämpfen wird die Romantik sich ihrer selbst bewußt und gründet sich als geistige Strömung.

Die Sachlage wird noch klarer, wenn man die geschichtlichen Vorgänge der Epoche, die wir bisher nur allgemein behandelten, in ihren Einzelheiten näher betrachtet. Das erste entscheidende Datum ist 1794, der Sturz Robespierres und der Versuch, der Französischen Revolution eine plebejisch-demokratische Vollendung zu geben, das zweite 1799, der Sturz der französischen Interimsregierung, des Direktoriums, der Anfang der konsularischen Militärdiktatur Napoleons I. Zwischen diesen beiden Daten entsteht die Romantik als selbständige Bewegung. Diese Zeit ist zugleich die Periode der siegreichen militärischen Ausdehnung der Erben der Französischen Revolution. Was der Revolution selbst nur sehr beschränkt gelang (man denke an die Mainzer Katastrophe), erfüllt sich nun in immer größeren Ausmaßen. Vor allem werden Deutschland und Italien die Schauplätze von Krieg und Eroberung, aber auch von einer gewaltsamen – wenngleich nicht konsequenten – Beseitigung feudaler Überreste. Damit hört die bisherige historische Zuschauerrolle der Deutschen, vor allem der Intelligenz, gegenüber den welthistorischen Ereignissen, der Schicksalsgestaltung ihres Vaterlands auf. Das Jahr der Wende ist 1806, die Zerschmetterung des friederizianischen Preußens in der Schlacht von Jena. Von diesem Wendepunkt an wird erst praktisch und darum auch ideologisch in aller

Schärfe sichtbar, wie unreif, wie unvorbereitet die geistig hochstehende deutsche Intelligenz zum Handeln, zum politischen Entschluß gewesen ist.

Die Übergangszeit des Sichfindens der deutschen Romantik spiegelt sich am klarsten in der Entwicklung Friedrich Schlegels. (Die Beziehung August Wilhelm Schlegels zu Bürger ist fast rein literarisch, und Tiecks Verbindungen mit dem Berliner Nicolai-Kreis sind vielfach bloß geschäftlich.) Es ist auffallend, aber keineswegs zufällig, daß die Anfänge Friedrich Schlegels bei den Spitzenleistungen der deutschen Aufklärung liegen. Einerseits knüpft er bei Lessing, Winckelmann und Georg Forster an, anderseits bei Schillers Versuchen, aus dem Verständnis der Antike das Wesen der modernen Literatur zu bestimmen.

Der junge Schlegel scheint viel radikaler zu sein als Schiller. Wir finden bei ihm nicht nur eine schroffere Gegenüberstellung von Antike und Moderne (die Antike wird im Geist des Forsterschen klassizierenden Jakobinismus aufgefaßt), sondern auch eine energischere Betonung der Zwiespältigkeit der modernen Literatur. Während Schiller die tiefste, grundsätzlichste Problematik der modernen Literatur von einem säkularen Blickpunkt betrachtet, erscheinen beim jungen Schlegel vornehmlich ihre eigenartigsten, allerneuesten Züge. Was Schlegel gibt, ist vielfach eine Vorwegnahme der dekadenten Strömungen, die ein Jahrhundert später in ausgeprägterer Form auftauchen. Bei ihm wird das Problem des Häßlichen als Zentralfrage der modernen Literatur zum erstenmal aufgeworfen, als deren wesentliches Merkmal er hervorhebt »das totale Übergewicht des Charakteristischen, Individuellen und Interessanten . . . das rastlose, unersättliche Streben nach dem Neuen, Pikanten und Frappanten, bei dem dennoch die Sehnsucht unbefriedigt bleibt«.

Diese allgemeine Charakteristik ist sicher nicht nur die seiner Gegenwart, sondern eine Vorwegnahme der Haupttendenzen der Dekadenz in der bürgerlichen Literatur. Schlegel überträgt aber zudem seine Beobachtung aus der Gegenwart auf die Vergangenheit, findet sie bei allen Größen der modernen Literatur, vor allem bei Shakespeare bestätigt; hier fängt jene »Modernisierung« der Vergangenheit an, die dann mit der Barbarisierung der Antike (durch die Entwicklung spätromantischer Bestrebungen über Nietzsche) im Faschismus gipfelt. So findet er das Kennzeichen von Shakespeares »Hamlet« in einem »Maximum der Verzweiflung«; in einem Jugendbrief schreibt er über den »Hamlet«: »Das Innerste seines Daseins ist ein gräßliches Nichts, Verachtung der Welt und seiner selbst.« Diese Betrachtung der modernen Literatur führt zu der Charakteristik F. H. Jacobis, den er damals noch vom aufklärerischen Standpunkt aus scharf kritisiert; aber diese Kritik läuft in eine Betrachtung des zwiespältigen Wesens der modernen bürgerlichen Literatur aus, in eine – unbewußte – Selbstcharakteristik. Er bekämpft an Jacobi »die Wut, einzig zu sein«, die »Abgötterei«, die er mit seiner eigenen Individualität treibt. Und der Abschluß des Artikels liest sich heute wie eine prophetische Vorwegnahme von Friedrich Schlegels eigenem Schicksal. Er spricht vom ewigen Schwanken Jacobis und seiner Helden »zwischen der verschlossenen Einsamkeit und der unbedingtesten Hingebung, zwischen Hochmut und Zerknirschung, zwischen Entzücken und Verzweiflung, zwischen Zügellosigkeit und Knechtschaft«. Er stellt fest, daß diese Tendenz notwendig in einem »theoretischen Kunstwerk endigt, wie alle moralischen Debauchen endigen, mit einem Salto mortale in den Abgrund der göttlichen Barmherzigkeit«.

In alledem ist eine sehr tiefe Einwirkung des Forsterschen Radikalismus spürbar, aber nur im Inhalt, nicht im Ton, nicht in der geistigen Atmosphäre. Der Jakobiner Forster vertritt ästhetisch einen konsequenten klassischen Objektivismus, die Kunstansicht eines Revolutionärs dieser Epoche. Friedrich Schlegels »revolutionäre Objektivitätswut«, wie er diese Periode später selbst bezeichnete, war die hysterische Überspanntheit eines extrem individualistischen Intellektuellen, bei dem zwar Geist und Wissen in Überfülle vorhanden waren, der aber nirgends wirklich tiefe Wurzeln hatte und darum – seinem eigentlichen Wesen nach – überzeugungslos sein mußte. Daher unterscheidet sich Friedrich Schlegels Beurteilung der Moderne so stark von der Forsters: dieser gibt die scharfe Charakteristik eines Betrachters, während bei jenem die Verurteilung der modernen Literatur eine unbewußte Selbstdarstellung und Selbstkritik ist. Die Jacobi-Kritik enthält sogar eine Vorwegnahme des eigenen Schicksals, seiner späteren müden Flucht in die katholische Kirche.

Die Weltereignisse entschieden über Schlegels ideologisches Geschick. Die Wendung des Jahres 1794 ist ein Knotenpunkt in seiner Entwicklung, wie in der vieler seiner Zeitgenossen, wenn die Wirkungen dieser Begebenheit sich auch nicht immer Schlag auf Schlag einstellen. Je deutlicher das Ergebnis der Französischen Revolution, die moderne bürgerliche Gesellschaft, sich zeigte – zuerst in den Exzessen des befreiten Bourgeoistums in der Directoirezeit –, desto mehr trat in der deutschen Intelligenz die abstrakte Begeisterung zurück, und vorherrschend wurde die spießbürgerliche Angst vor den plebejischen Formen der Französischen Revolution. Die leer gewordene Stelle nehmen die Probleme der modernen bürgerlichen Gesellschaft ein.

Die Wirkung der französischen Ereignisse beherrscht naturgemäß die ganze deutsche Intelligenz. Die Richtungen jedoch, in denen die deutsche Intelligenz auf die Zeitereignisse reagiert, sind sehr verschieden, ja entgegengesetzt. Wir haben gesehen, wie diese Lage bei Goethe und Schiller die klassische Behandlung der großen und neuen gesellschaftlichen und historischen Probleme Deutschlands bewirkte. Anders bei der sozial wurzellosen neuen Intelligenz. Mit dem Thermidor und Directoire verschwindet das durch Selbstübersteigerung aufgezwungene, innerlich zutiefst unwahre Citoyen-Pathos und wird vom schrankenlosen Kultus des vollständig befreiten, allein auf sich gestellten Individuums abgelöst.

Die berühmte Zeitschrift der beiden Schlegel, das »Athenäum«, ist das führende Organ dieser Entwicklungsstufe der Romantik geworden. Hier tobt sich der romantische Individualismus am schrankenlosesten aus. Besonders bezeichnend ist die Forderung nach absoluter Freiheit des erotisch-sexuellen Lebens und die Selbstauflösung der Kunstformen durch die souveräne Hemmungslosigkeit der schöpferischen Subjektivität. In beiden Fragen ist die Jenaer Romantik ein wichtiges Vorspiel zur deutschen Ideologie des neunzehnten Jahrhunderts. In der Kritik der Unfreiheit des Liebeslebens steckt zweifellos etwas Fortschrittliches: vor allem im Kampf gegen die konventionelle und juristische Gebundenheit der Ehe, im Kampf für Freiheit und Gleichwertigkeit der Frau. Diese fortschrittlichen Bestrebungen erscheinen am klarsten in den Äußerungen Schleiermachers, sie schlagen aber, besonders bei Friedrich Schlegel, in eine thermidorianisch-libertinische Auflösung aller gesellschaftlichen Bande um. In dieser Form findet man sie vor allem in Friedrich Schlegels künstlerisch völlig mißratenem Roman »Lucinde«. Es ist für den bürgerlichen

Charakter der Romantik bezeichnend, daß diese Bestrebungen später vom »Jungen Deutschland«, das die Romantik im allgemeinen als reaktionär ablehnte, wiederaufgenommen wurden.

Noch bezeichnender ist die romantische Kunsttheorie. Sie erstrebt bewußt die Auflösung aller Gattungen, das Niederreißen der Schranken, die sie voneinander trennen. In einem programmatischen Aphorismus Friedrich Schleges findet das Ziel prägnanten Ausdruck:

»Die romantische Poesie ist eine progressive Universalphilosophie. Ihre Bestimmung ist nicht bloß, alle getrennten Gattungen der Poesie wieder zu vereinigen und die Poesie mit der Philosophie und Rhetorik in Berührung zu setzen. Sie will und soll auch Poesie und Prosa, Genialität und Kritik, Kunstpoesie und Naturpoesie bald mischen, bald verschmelzen, die Poesie lebendig und gesellig und das Leben und die Gesellschaft poetisch machen, den Witz poetisieren und die Formen der Kunst mit gediegenem Bildungsstoff jeder Art anfüllen und sättigen und durch die Schwingungen des Humors beseelen.«

Die Kunsttheorie des »Athenäum« geht aber noch darüber hinaus; auch die Grenzen zwischen Leben und Literatur sollen verschwinden. Die ästhetischen Kategorien sind hier nicht mehr Spiegelungen des Lebens, sondern sollen Aufbaukräfte des Lebens darstellen. Der Kampf gegen die heraufziehende Prosa der bürgerlichen Gesellschaft nimmt damit – scheinbar – sehr radikale, weit über die Forderungen der Klassik hinausgehende Formen an. Für die Klassik ging es darum, der Prosa des bürgerlichen Alltags durch Aufdecken der tiefsten Probleme der Wirklichkeit die Poesie der großen Perspektiven der Menschheitsentwicklung gegenüberzustellen, die Poesie ihres offenbar gemachten Wesens, ihrer sichtbar gewordenen Gesetzlichkeit. Und das geschah gerade mit Hilfe der reingehaltenen strengen Form, die eben der konzentrierte Ausdruck des Allgemeinsten und Wahrsten am Stoffe ist. In der Romantik soll dagegen diese bürgerliche Prosa durch die – angeblich – unwiderstehliche Magie der schöpferischen, der genialischen Subjektivität vernichtet werden.

Die Romantik übernimmt von der klassischen Philosophie und Dichtkunst den Grundsatz der Aktivität des Subjekts im Erkennen und Gestalten des Lebensstoffes, verwandelt ihn jedoch durch bewußte Überspannung ins Entgegengesetzte. Für die Klassik war der aktive Anteil der Subjektivität eben nur wichtiger Teil, ausschlaggebendes Moment eines Erkenntnis- oder Gestaltungsprozesses, dessen Ziel das getreue Erfassen und Herausstellen des Wesens der objektiven Wirklichkeit war. Dieser Grundsatz verwandet sich in den Händen der Romantiker zu einem Selbstzweck. Um ihre schöpferische Rolle durchzuführen, muß nun die Subjektivität in der Romantik absolute Beherrscherin des Stoffes sein, sich souverän über ihn erheben, mit ihm – scheinbar nach Belieben – schalten und walten. Die Romantik versucht nun dieses Darüberstehen als Wesen des künstlerischen Schaffens (und der Lebenskunst) festzustellen und in den Mittelpunkt der Theorie und Praxis der Literatur (und der Moral) zu setzen. Jede dem Stoff organisch zugehörige Eigenart, jede Stoffechtheit wird damit zunichte gemacht. Die – angeblich – allmächtige Subjektivität kann hier aus allem alles machen; sie, ihre eigenmächtige Selbstbewegung, ist Alpha und Omega von Kunst und Lebensphilosophie.

Diese »Ironie«, wie sie von der romantischen Theorie genannt wird, soll nun die allein vollgültige Überwindung der Prosa der bürgerlichen Gesellschaft sein. Und in der Tat: subjektiv, für den erlebten Augenblick scheint diese Aufhebung vollbracht zu sein. Ein bunter Traumschleier von Geist und Poesie bedeckt alles Schlechte und Häßliche, alles Niedrige; es ist nicht wahrnehmbar geworden. Und wenn die selbstherrliche Subjektivität auch ahnen muß, daß sie nicht eine vorhandene, verborgene Poesie entdeckt hat, sondern von sich aus eine an sich unpoetische Welt mit eigener Poesie übergoldet – dies ist eine wesentliche Seite der Ironie –, so können dabei, unbeschadet der ironischen Bewußtheit, Illusionen entstehen, als wäre diese Subjektivität der letzte ontologische Kern des Kosmos, als könnte dieses subjektive, mit magischen Motiven spielende Schöpfertum sich in wirklich tätige Magie verwandeln, als wäre die romantische Überwindung der bürgerlichen Prosa eben die Entzauberung einer verzauberten, verhexten Welt (Novalis).

Mit dieser Seite der romantischen Ironie hängt ihre zweite, aggressive, gegen die Philister gerichtete Seite aufs engste zusammen. Hier ist die Abkehr von Aufklärung und Klassik noch deutlicher sichtbar. Auch Aufklärung und Klassik haben gegen den deutschen Spießer gekämpft. Ihr Kampf war jedoch bloß der organische Teil eines größeren, weiteren Streites. Ihr Bestreben ging auf die Erweckung Deutschlands, auf die Erziehung von Menschen, die imstande sind, inmitten des deutschen Elends, inmitten der entwürdigenden Auswirkungen der kapitalistischen Arbeitsteilung die großen Ideale der Humanität, des vielseitig entwickelten, harmonischen Menschen in sich auszubilden und anderen weiterzugeben. Wir haben gezeigt, wie viele utopische Elemente dieser Plan in sich birgt. Wir haben auch die Schranken dieser Auffassung besonders in der Klassik aufgezeigt: daß sie mit ihrer Abkehr vom gesellschaftlich-politischen

Handeln das wichtigste Mittel für die Überwindung der deutschen Spießerei, die Erweckung des Citoyen-Bewußtseins, vernachlässigt. In der romantischen Ironie entsteht eine verhängnisvolle weitere Verengerung und damit eine Verzerrung des Kampfes gegen das deutsche Spießertum. Für die Romantiker ist der Spießer einfach der Banause; das große politisch-soziale Kulturproblem schrumpft zu einem zirkelhaften Bildungsproblem, ja zum Problem eines ästhetischen Konventikelwesens zusammen. Die Verzerrung der Frage zeigt sich vor allem darin, daß die ironische Überbewußtheit der Romantiker sich dessen unbewußt bleibt, wie philisterhaft ihr eigener, raffinierter philosophischer und ästhetischer Kultus der souveränen Individualität im Sozialen und Menschlichen sein kann, sein muß. Der romantische Kampf gegen den ordinären Philister erzeugt den überspannten Philister.

Da alle Fragen der Zeit gerade damals in Goethes »Wilhelm Meister« ihren schärfsten Ausdruck fanden, zeigen sich die Absichten der Romantik am deutlichsten in den Auseinandersetzungen mit diesem Werke. Auch hier lassen sich verschiedene Stufen der Entwicklung verfolgen. Friedrich Schlegels Rezension von Goethes Roman ist noch eine begeisterte Verherrlichung und eine kluge und umfassende Analyse. Aber auch hier bezieht sich die Übereinstimmung vor allem auf die künstlerische Vollendung; diese Arbeit Schlegels ist ein Übergangsprodukt. Sehr bald treten die Unterschiede immer deutlicher hervor. Die jetzt entstehenden romantischen Romane unterliegen ausnahmslos dem Einfluß des »Wilhelm Meister«, befinden sich jedoch ästhetisch wie moralisch in schroffem Gegensatz zu ihm: Tiecks »Sternbald«, Novalis' »Heinrich von Ofterdingen«, Friedrich Schlegels »Lucinde«.

Dieser Lage entsprechend, schreibt Friedrich Schlegel ein Jahr nach seiner Kritik »Wilhelm Meisters« über den »Sternbald«: »Es ist der erste Roman seit Cervantes, der romantisch ist und darüber, weit über ›Meister‹.« Und Schleiermacher spielt in seiner Verteidigung der »Lucinde« den Roman Schlegels, wenn auch ohne Nennung Goethes, gegen den »Wilhelm Meister« aus, der wegen seines empirischen Wesens nur eine Novelle sei, während er in der ideenhaften Dichtung Schlegels einen echten Roman erblickt. Wie in allen romantischen Kontroversen tritt Novalis auch hierin am klarsten, offensten und radikalsten auf. Wir geben nur einige der bezeichnendsten Stellen aus seiner Kritik des »Wilhelm Meister«:

»Wilhelm Meisters Lehrjahre sind gewissermaßen durchaus prosaisch und modern. Das Romantische geht darin zugrunde, auch die Naturpoesie, das Wunderbare. Er handelt bloß von gewöhnlichen menschlichen Dingen, die Natur und der Mystizismus ist ganz vergessen. Es ist eine poetisierte bürgerliche und häusliche Geschichte. Das Wunderbare darin wird ausdrücklich als Poesie und Schwärmerei behandelt. Künstlerischer Atheismus ist der Geist des Buchs. Sehr viel Ökonomie; mit prosaischem, wohlfeilem Stoff ein poetischer Effekt erreicht ... Es ist im Grunde ein fatales und albernes Buch ... Es ist eine Satire auf Poesie, Religion und so weiter ... Die ökonomische Natur ist die wahre, übrigbleibende ... Wilhelm Meister ist eigentlich ein Candide, gegen die Poesie gerichtet.«

Hier ist der Gegensatz der Romantik zu Goethe bereits ganz klar ausgesprochen. Die Pläne von Novalis zum zweiten Teil seines »Ofterdingen« zeigen, worin das Positive, das Praktische seiner Absicht liegt. Die Poetisierung der Welt geht dort offen in Magie über. Ästhetisch wird der Roman von der Romantik in Stimmungs- oder Ideenlyrik, in willkürliche Märchenphantastik aufgelöst.

Novalis ist die wichtigste Gestalt für die vollendete Trennung von Goethe, wie Friedrich Schlegel die für den Übergang war. Mit der Kühnheit des echten Dichters geht Novalis seine gefährlichen und falschen Wege zu Ende. Eine für die deutsche Literatur schicksalhafte Dichtung waren seine »Hymnen an die Nacht«. Es geht dabei nicht um das lyrische Motiv der Nacht unter oder neben anderen Motiven – das wäre literarisch nichts Neues –, sondern um einen weltanschaulichen Gegensatz. Die Nacht ist hier ein metaphysischer Gegenpol zum Tag, zum Licht, zur intellektuellen Durchleuchtung des Lebens. (In der Ablehnung des »Wilhelm Meister« durch Novalis ist der Gedanke wichtig, daß Goethes Roman ein »Verstandesprodukt« sei.)

Novalis treibt mit dem Kultus der Nacht einen Kult des dunklen Untergrundes, des Unbewußten, des nur Instinktiven und Spontanen. Was in der »Lucinde« frivol und weltlich gepredigt wurde, erscheint hier echt poetisch, tief empfunden lyrisch: die Zerstörung jener geistig erhellten Universalität, die von Lessing bis Goethe den besten Teil des deutschen Lebens beherrscht hat. Nacht und Tag sind philosophische Symbole und erhalten ihre Ergänzung in Tod und Leben, in Krankheit und Gesundheit. Das alles ist bei Novalis von individuellen Erlebnissen ausgelöst und besitzt darum lyrische Echtheit und Suggestionskraft. Aber der letzte Grund der weltanschaulichen Wendung liegt tiefer und ist allgemeiner. In den Geburtswehen einer neuen Zeit, besonders im zurückgebliebenen, von der vielfältigen Krise des Alten und des Neuen aufgewühlten Deutschland, mußte notwendigerweise das eigentlich krisenhafte, das krankhafte Element des Übergangs stark auf feinfühlige Menschen wirken.

Es kam alles darauf an, ob das Krankhafte als notwendige Stufe der Entwicklung oder als sich jetzt offenbarende letzte Substanz aufgefaßt wurde. Der romantische Kult des Unmittelbaren und Unbewußten führt notwendig zu einem Kult von Nacht und Tod, von Krankheit und Verwesung. Novalis sagt: »Wie der Mensch Gott werden wollte, sündigte er. – Krankheiten der Pflanzen sind Animalisationen, Krankheiten der Tiere Rationalisationen, Krankheiten der Steine Vegetationen ... Pflanzen sind gestorbene Steine, Tiere gestorbene Pflanzen.«

Von hier aus findet Novalis den Weg zur Religion, zum Mittelalter: »Liebe ist durchaus krank, daher die wunderbare Bedeutung des Christentums.« Sein Aufsatz »Die Christenheit oder Europa«, der im »Athenäum« erscheinen sollte, jedoch auf Goethes Rat nicht gedruckt wurde, ist die geschichtsphilosophische Programmschrift der romantischen Reaktion. Das feudale Mittelalter erscheint als die harmonisch vereinigte Menschheit, Reformation und Französische Revolution als zerstörende Prinzipien. (Man denke an die Etymologie des romantischen Philosophen Baader: das Wort Sünde kommt von Sondern.) Die Nacht Novalis' ist ein Untertauchen in eine als vollendet geträumte Gemeinschaft. Die äußerste Zuspitzung des Subjektivismus, die Loslösung aus allen gesellschaftlichen Bindungen erlebt hier ihren Umschlag ins Entgegengesetzte. Aber beide Extreme gehören sozialpsychologisch zusammen. Auf den Rausch des extremen Alleinseins im Subjektivismus folgt zwangsläufig der Rausch des ebenso extremen Sichaufgebens, der vollendeten Hingebung an Krankheit, Nacht und Tod, der Salto mortale in die Religiosität. Hier hat sich der Schlußgedanke von Friedrich Schlegels Jugendaufsatz rasch erfüllt.

Aus solchen Quellen entsteht die religiöse Wendung der Romantiker. Sie ist zuweilen vorwiegend ästhetisch (August Wilhelm Schlegel, Tieck); sie kann Ausdruck eines modernen, sich rein aufs Individuell-Private zurückziehenden subjektivistischen Innenlebens sein (Schleiermachers »Reden über die Religion«); sie kann Zufluchtsstätte der müde gewordenen Haltlosigkeit sein (Friedrich Schlegels Übertritt in die katholische Kirche); sie kann endlich tief und ehrlich erlebte Dekadenz und Reaktion sein wie bei Novalis.

So weit gelangte Theorie und Praxis der Romantiker, als sie infolge der Schlacht bei Jena aus ideologischen Zuschauern zu Personen der Handlung wurden, als ihre philosophischen und ästhetischen Gegensätze in politische Gegnerschaften mündeten. Wir müssen freilich wiederholen: auch diese Wendung ist echt deutsch, d. h. unreif und im politischen Sinne dilettantisch. Vor allem deshalb, weil die eigentlichen politischen Entscheidungen nicht von wirklichen Volksbewegungen bestimmt wurden, weshalb denn auch die intellektuelle Zuschauerrolle der ideologischen Teilnehmer vielfach gewahrt blieb. Die Unreife zeigt sich schon in der Wahl, vor welche die Intelligenz sich jetzt gestellt sah: ob man die Beseitigung der feudalen Überreste in Deutschland von der »Rheinbundisierung«, von Napoleon zu erwarten habe, oder ob eine nationale Befreiungsbewegung mit dem Abschütteln des Napoleonischen Jochs auch eine innere Befreiung oder wenigstens gewisse innere Fortschritte bringen würde – und es fehlten doch für die zweite Möglichkeit die subjektiven Bedingungen so gut wie vollständig.

Den ersten Weg haben die Klassiker und die Nachfahren der Aufklärung gewählt. Hegel erwartet die Erneuerung Deutschlands vom »großen Staatsrechtslehrer in Paris«; auch der alte Aufklärer Voß nennt Napoleon gelegentlich »unseren Bundesgenossen«. Goethe war nicht nur ein Anhänger Napoleons, sondern auch nach dessen Sturz äußerst skeptisch gegenüber den Ergebnissen der Befreiungskriege. In einem Gespräch mit dem Historiker Luden spricht er von »Befreiung, nicht vom Joche der Fremden, sondern von einem fremden Joche«, womit er in seiner vorsichtigen Art andeutet, daß nur der geographische Charakter der Fremdherrschaft und auch der nicht zugunsten des Fortschritts sich veränderte.

Es ist klar, daß die Romantiker auf der anderen Seite stehen mußten. Die so entstehende tiefe Spaltung der Geister spiegelt sich in allen literarischen und philosophischen Kämpfen der Zeit. Wie die Begeisterung für die Antike früher auf die Französische Revolution zielte, freilich bei den verschiedenen Schriftstellern in verschiedenen Nuancen, so war sie jetzt der ästhetische Ausdruck des Napoleonischen Weges. Die Schwärmerei für das Mittelalter war dagegen das Symbol des Anschlusses an die Restauration des feudalen Absolutismus. Hier erschien das »organische Wachstum« als Fetisch, als Verbot für das Volk, seine Institutionen selbsttätig zu ändern; die blinde Verehrung für das »historisch Gewordene« bis zur deutschen Kleinstaaterei, bis zum Feudalabsolutismus, ja bis zur Leibeigenschaft und zum Zunftwesen wird zum Dogma; dabei erwächst ein bornierter Glaube an die »Weltmission« Deutschlands, ein chauvinistischer Haß gegen Frankreich als Verkörperung des politischen Fortschritts. Hinter den Manifesten von Goethe-Meyer gegen die christlich-deutsche patriotische Kunst, von Voß gegen die Versuche, die Antike zu »romantisieren« und damit zu barbarisieren, steht die Ahnung, freilich zumeist nur die Ahnung der Gefahren, die aus der romantischen Stellungnahme Deutschlands Zukunft bedrohen.

Aber damit ist das Problem noch nicht hinreichend bestimmt, denn der Kampf gegen Napoleon war, wie Marx sagte, »eine Regeneration, die sich mit Reaktion paart«. Diese Doppelseitigkeit der Bewegung ist bei den politischen und militärischen Führern der Reformbestrebungen, bei Stein und Schön, bei Hardenberg und Humboldt, bei Scharnhorst und Gneisenau deutlich zu sehen. Wenn man aber die eigentlichen Dichter und Ideologen der Romantik sucht, so findet man sie auffallend selten in diesem Lager. Heinrich von Kleist, die größte Gestaltungskraft der deutschen Romantik, hat zusammen mit dem korrupten Abenteurer Adam Müller das Organ der feudalen Opposition gegen Hardenberg geleitet; Friedrich Schlegel wurde zum journalistischen Handlanger Metternichs usw. Manche Romantiker bekundeten auch jetzt offen ihre dekadent-literatenhafte Einstellung. So schreibt Clemens Brentano an einen Freund: »Ich kann mich mehr für Deinen Eifer für die Dinge als für die Dinge selbst interessieren; es würde mir leid tun, z. B. wenn Du Dein Vaterland weniger liebtest, als wenn Bayern zugrunde ginge.« Den wirklich volkstümlichen Ausdruck für die vorhandenen Massenstimmungen in der jungen deutschen Intelligenz traf ein Epigone der Klassik: Theodor Körner.

Erst als die Kämpfe gegen Napoleon mit der Herrschaft der Restauration endeten, wurde die Romantik zur führenden Ideologie einer Zeit des finstersten Obskurantismus. Die »mondbeglänzte Zaubernacht« der Restauration des Feudalabsolutismus war die Zeit der tiefsten und folgenschwersten Verdüsterung im Volk der »Dichter und Denker«. Sie war nicht nur die Zeit der erniedrigendsten Unterdrückung, sondern zugleich die der drückendsten Vorherrschaft des Spießertums. Die falsche, ästhetenhafte Richtung des romantischen Kampfes gegen den Spießer zeigt sich sozial darin, daß keine

Weltanschauung oder Kunstrichtung den deutschen Spießer so stark erfaßte und so nachhaltig beeinflußte wie gerade die Romantik. Von der mittelalterlichen Kaiserherrlichkeit, von der pseudopoetischen Verklärung der sozialen und politischen Ketten, der »organisch« erwachsenen historischen Macht, bis zur Verherrlichung des »Gemütslebens«, bis zum verstandesfeindlichen quietistischen Versinken in die Nacht eines beliebigen Unbewußten, einer beliebigen »Gemeinschaft«, bis zum Haß gegen Fortschritt und freiheitliche Selbstverantwortung – erstrecken sich die Folgen des Sieges der romantischen Ideologie, die bis heute an der deutschen Psyche spürbar sind.

Die neueren Literaturhistoriker wollen in die deutsche Literaturgeschichte eine Periode des »Biedermeiers« einschalten. Was ist aber das Biedermeier anderes als die Vorherrschaft der romantischen Ideologie in der Masse, als das Eindringen der Romantik in das deutsche Spießertum? So entstand die folgenschwerste Verdunkelung des deutschen Geistes, denn gerade die romantische Ideologie, die nur zeitweilig um die Mitte des neunzehnten Jahrhunderts zurückgedrängt wurde, beherrschte am stärksten die deutsche Intelligenz – entsprach doch die Romantik am meisten der Stellung der Intelligenz inmitten der deutschen Misere, ihrer Wurzellosigkeit einerseits und den Versuchen anderseits, auf dem Wege einer objektiv falschen, gesellschaftlich gefährlichen »Tiefe« dies Elend zu überwinden.

Darum ist die Kritik der Romantik eine höchst aktuelle Aufgabe der deutschen Literaturgeschichte. Diese Kritik kann niemals tiefschürfend und scharf genug sein. Es ist wahr, daß die meisten Werke der bekannten Romantiker schon seit langer Zeit nur noch von den Literaturhistorikern gelesen werden (Tieck, Brentano, Arnim, Zacharias

Werner u. a.). Aber die größte dichterische Begabung der Romantik, Heinrich von Kleist, ist schon lange eine lebendige literarische Macht. Er erscheint vielen als der eigentliche deutsche Dramatiker, der aus den Irrwegen Lessings, Schillers und Goethes zum »arteigenen« germanischen Drama führen soll. Und »arteigen« ist die Dramatik Kleists wirklich. Sie zeigt die glänzendsten Verführungen der Deutschen auf die gefährlichsten Irrwege, in den Sumpf der hemmungslosesten Reaktion. Von der knechtischsten Unterwürfigkeit, von der Hysterie der machtgierigen Haßliebe bis zum wildfanatischen Fremdenhaß und zur Verklärung der Hohenzollernherrlichkeit finden wir bei Kleist die dichterische Verherrlichung von allem, was in der deutschen Geistesentwicklung gefahrdrohend und verwerflich ist. Daß all dies bei ihm nicht zum spielerischen Formexperiment wurde, wie bei seinen romantischen Zeitgenossen, sondern eine machtvolle, zuweilen geniale Gestaltung erfuhr, erhebt Kleist zum gewaltigen Symbol des Irrweges der deutschen Literatur und Ideologie, macht die kritische Auseinandersetzung mit ihm, geistig wie ästhetisch, zu einer Forderung des Tages. (Zu einer ausführlichen kritischen Würdigung Kleists, die hier nicht einmal in ihren Umrissen angedeutet werden kann, gehört das Abtragen jener Verzerrungen, die an ihm Gundolf und andere vollzogen haben, die bedingungslos alles Reaktionäre bejahen, während die wenigen Siege des Realismus über romantische Voreingenommenheit, der Gesundheit über Hysterie, wie etwa der »Zerbrochene Krug«, als unwesentliche »Nebenprodukte« abgetan werden. Ebenso muß die Frage in bezug auf die »Kohlhaas«-Novelle gestellt werden.)

Schon diese Fragestellung deutet Art und Richtung einer wirklichen Kritik an den inneren Gegensätzen der

Romantik an. Über dem Feststellen und Brandmarken von Reaktion und Dekadenz darf man allerdings nicht übersehen, daß in der Romantik doch der Reflex der ersten – wenn auch noch so verworrenen und schwachen – Volksbewegung in Deutschland seit dem Bauernkrieg erscheint: daher die starke Rückwendung zum Volksleben, zur Volkskunst, wobei die Herderzeit der deutschen Aufklärung in verstärkter Form erneuert wird. In diesen Rückwendungen steckt freilich nicht wenig artistische Spielerei, zugleich aber werden Tore geöffnet für eine echte, volkstümliche Poesie. Vor allem ist dabei an Sammlungen wie »Des Knaben Wunderhorn« und Grimms Märchen zu denken. Aber die Entwicklung beschränkt sich nicht auf eine bloße Sammlung vorhandener Schätze der Volkspoesie. Neben der fast unerträglichen Künstelei im Hauptstrom der romantischen Lyrik entsteht auch eine echte, volksliedhafte Wiederaufnahme der dichterischen Bestrebungen des jungen Goethe (solche Volkspoesie liegt in der allgemeinen Richtung der Zeit und entsteht oft ganz unabhängig von der Romantik, so bei Hebel); neben rein artistischen Kunstmärchen und raffiniert formlosen Novellen erwächst auch eine wirklich volkstümliche Erzählungskunst. Beide Tendenzen sind am stärksten bei Eichendorff ausgeprägt, dessen beste Werke auch heute mit Recht lebendig wirken.

Ein weiterer Widerspruch im Bilde der Romantik (und zugleich eine Unterstreichung ihres bürgerlichen Charakters) zeigt sich darin, daß die Verteidigung des Alten, des »organisch« Gewachsenen nicht immer und unbedingt eine Unterstützung der Reaktion bedeutete. In einzelnen Staaten Deutschlands, vor allem in Württemberg, wo die ständischen Überlieferungen noch nicht vom Absolutismus ausgerottet waren, konnte die Verteidigung der »alten Rechte« eine Sammlung der oppositionellen Kräfte, eine Kampfparole gegen die Herrschaftsansprüche des Absolutismus werden. Auf diesem Boden entsteht eine liberale Romantik. Ihr größter dichterischer Vertreter ist Uhland. Die deutsche Misere zeigt sich freilich auch hier; die Verteidigung erstreckt sich auf allzu vieles, was keines Schutzes würdig ist; aus dem Appell an die »alten Rechte« erwächst eine zaghaft spießbürgerliche Form des Kampfes gegen den Absolutismus. Diese schwachen Seiten der liberalen Romantik sind schon bei Uhland selbst klar zu sehen; noch stärker und erniedrigender treten sie unter seiner Anhängerschaft, in der »Schwäbischen Schule«, hervor, der gegenüber die vernichtende ironische Kritik Heines berechtigt war.

Am stärksten zeigen sich die Widersprüche der Romantik in ihrer größten Gestalt, in E. T. A. Hoffmann. Er unterscheidet sich von den anderen schon im Leben. Als preußischer Richter in der Zeit der Demagogenverfolgung nach dem Wartburgfest und dem Sandschen Attentat auf Kotzebue widersteht Hoffmann mutig den reaktionären Forderungen der preußischen Regierung. Auch ist der polemische Gehalt seiner Schriften im Grunde scharf von der Romantik zu scheiden. Wie die Romantik bekämpft Hoffmann den Philister mit direkter und indirekter Satire, läßt dessen Eigentümlichkeiten karikaturistisch-unheimlich ins Dämonische und Gespenstische hinüberwachsen. Aber das Philistertum, gegen das er unermüdlich und unerbittlich kämpft, ist die Erscheinungsform der Entrechtung und Entwürdigung des Menschen durch die deutsche Misere unter den Bedingungen des aufkommenden Kapitalismus. Er kehrt damit vom eng ästhetischen Standpunkt der eigentlichen Romantiker zu den großen Gesichtspunkten der demokratischen Umwälzung zurück. Aber all dies erscheint bei ihm auf einer höheren Stufe als bei seinen Vorgängern. Auch er gehört, wie die Romantiker, der nachrevolutionären Zeit an; der Stoff, den er gestaltet, ist also bereits die neue bürgerliche Gesellschaft, und seine Formen erwachsen aus der Kritik an ihr. (Hier liegt der gemeinsame Boden Hoffmanns und der Romantik.) Da er aber ein wirklich großer Realist ist, handelt es sich bei ihm um die neue Gesellschaft in ihren elenden deutschen Formen. Eben deshalb wird bei ihm das Neue ins Gespenstische gesteigert, auch vor allem in der kleinlichsten deutschen Erscheinungsweise der modernen Welt, und umgekehrt sieht er das Gespenstische in der Umwandlung des Deutsch-Spießerhaften durch die gesellschaftlichen Weltereignisse. In der Art seiner Gestaltung ist auch Hoffmann ein Romantiker. Jedoch – freilich auf deutschem Boden, mit deutschen Mitteln – ein europäischer Romantiker. Er erfaßt im Maßstabe seiner Persönlichkeit – aber ebenso eindringlich wie vor ihm Goethe und nach ihm Balzac – die wesentlichen Entwicklungstendenzen der Periode und stellt sie mit neuartig suggestivem Realismus dar. So ist er zwischen Goethe und Heine der einzige deutsche Schriftsteller, dem eine internationale Wirkung zufiel. Von Balzac bis zu Gogol und Dostojewskij ist sein Einfluß überall fühlbar. Die Erkenntnis und das Herausarbeiten von Hoffmanns Eigenart, das Aufzeigen dessen, was ihn von der eigentlich deutschen Romantik trennt, unbeschadet der künstlerischen Gemeinsamkeiten infolge des gemeinsamen historisch-sozialen Bodens, ist eine wichtige Aufgabe der deutschen Literaturgeschichte.

4

Das Ende der Kunstperiode

Es entspricht der Entwicklung Deutschlands, daß die ausschlaggebenden Wendungen für seine Geschichte und auch für seine Literatur von außen bestimmt werden. So wurde das stickige Dunkel der Restauration und die in ihr immer reaktionärer werdende Vorherrschaft der Romantik jäh von der Pariser Julirevolution unterbrochen, nachdem schon vorher äußere Ereignisse, wie z. B. der griechische Aufstand, Proteste gegen die Unterdrückung der Völker ausgelöst hatten. Aber erst die Februarrevolution erschütterte das morsche System der Heiligen Allianz so entscheidend, daß die gesamte deutsche ideologische Entwicklung neue Wege einzuschlagen beginnt.

Diese Wendung hat natürlich ihre wirtschaftlichen Grundlagen in Deutschland selbst: im Vorwärtsschreiten auf dem Wege zum modernen Kapitalismus, das freilich vorerst viel langsamer erfolgt als in den westlichen Ländern. Jedoch allen reaktionären Absichten der Restauration zum Trotz, gewissermaßen hinter dem Rücken der Machthaber (und auch des Volkes), vollzieht sich der Prozeß unaufhaltsam. Mit ihm werden die ersten – unbewußten – Schritte zur wirklichen Einigung Deutschlands getan. Schon die Verfassungen der Einzelstaaten in der Restaurationszeit sind – soweit sie überhaupt entstanden – wirtschaftliche und politische Folgen des Durcheinanders der »historischen« Kleinstaaterei, das die Napoleonische Periode hinterließ. Die durch den Wiener Kongreß neugeschaffenen Staaten mußten ihre mittelalterlichen Steuer- und Zollbestimmungen weitestgehend beseitigen, um als Staaten überhaupt leben zu können. Das gilt in erster Linie für das aus wirtschaftlich und politisch so verschiedenartigen Teilen zufällig zusammengewürfelte Preußen. Und gerade Preußen wurde durch seine Lage dazu gezwungen, den unausweichlichen Vereinheitlichungsprozeß über seine Grenzen hinaus auszudehnen. Im Jahre 1828 wird mit dem Abschluß des preußisch-hessischen Zollvertrages die Grundlage zum späteren Zollverein geschaffen. Seine rasche Entfaltung hat das spätere Deutsche Reich wirtschaftlich zu einem einheitlichen Gebiet gemacht, bevor Bismarck zum politischen und militärischen Vollstrecker der bereits vollzogenen wirtschaftlichen Entwicklung wurde.

Unter diesen Bedingungen war die Wirkung der Pariser Revolution von 1830 in Deutschland eine ganz andere, tiefergehende als die der weit gewaltigeren Ereignisse nach 1789. Die Revolution wirkte auch jetzt auf ein politisch unvorbereitetes, unreifes Volk. Aber ein entschiedener Fortschritt ist doch überall wahrnehmbar. Bei aller Naivität und Ratlosigkeit hat das Hambacher Fest eine ganz andere politische Physiognomie als seinerzeit die Professoren- und Studentendemonstration auf der Wartburg; auch der Frankfurter Sturm auf die Polizei und besonders Büchners illegale Vorbereitungsarbeit zu einer Revolution in Hessen haben eine andere Bedeutung als das Attentat auf Kotzebue. Diese Wendung findet in der Literatur ihre deutliche Spiegelung. Es wirkt in diesem Zusammenhang fast symbolisch, daß die Gipfelgestalten der vergangenen Periode nur knapp die Julirevolution überlebt haben (Hegel ist 1831, Goethe 1832 gestorben). Noch bezeichnender, als Vorspiel der Auflösung des Hegelianismus noch zu Lebzeiten Hegels, ist der Zusammenstoß des Meisters mit seinem Lieblingsschüler, E. Gans, über die Bewertung der revolutionären

Ereignisse in Frankreich und Belgien: die jüngere Generation der Hegelianer beginnt ihre Abkehr vom »Ende der Geschichte« aus dem Hegelschen System zu vollziehen, sie beginnt in der historischen Dialektik einen Wegweiser in die Zukunft, nämlich ein Mittel zur gesellschaftlich-politischen Umwälzung zu erblicken.

Ein anderer persönlicher Schüler Hegels, Heinrich Heine, hat für diese Wende die glückliche Bezeichnung »Ende der Kunstperiode« geprägt. Er schildert die neue Lage schon 1831 so: »Meine alte Prophezeiung von dem Ende der Kunstperiode, die bei der Wiege Goethes anfing und bei seinem Sarge aufhören wird, scheint ihrer Erfüllung nahe zu sein. Die jetzige Kunst muß zugrunde gehen, weil ihr Prinzip noch im abgelebten, alten Regime, in der heiligen römischen Reichsvergangenheit wurzelt. Deshalb, wie alle welken Überreste dieser Vergangenheit, steht sie im unerquicklichsten Widerspruch mit der Gegenwart. Dieser Widerspruch und nicht die Zeitbewegung selbst ist der Kunst so schädlich; im Gegenteil, diese Zeitbewegung müßte ihr sogar gedeihlich werden, wie einst in Athen und Florenz, wo eben in den wildesten Kriegs- und Parteistürmen die Kunst ihre herrlichsten Blüten entfaltete. Freilich, jene griechischen und florentinischen Künstler führten kein egoistisch isoliertes Kunstleben, die müßig dichtende Seele hermetisch verschlossen gegen die großen Schmerzen und Freuden der Zeit; im Gegenteil, ihre Werke waren nur das träumende Spiegelbild ihrer Zeit, und sie selbst waren ganze Männer, deren Persönlichkeit ebenso gewaltig wie ihre bildende Kraft ...

Indessen, die neue Zeit wird auch eine neue Kunst gebären, die mit ihr selbst in begeistertem Einklang sein wird, die nicht aus der verblichenen Vergangenheit ihre Symbolik zu borgen braucht und die sogar eine neue

Technik, die von der seitherigen verschieden, hervorbringen muß. Bis dahin möge, mit Farben und Klängen, die selbsttrunkenste Subjektivität, die weltentzügelte Individualität, die gottfreie Persönlichkeit mit all ihrer Lebenslust sich geltend machen, was doch immer ersprießlicher ist als das tote Scheinwesen der alten Kunst.«

Es zeigt Heines Klugheit und Einsicht in die realen Zusammenhänge, daß er die unmittelbare Zukunft als eine Übergangszeit betrachtet. Er weiß sehr gut, daß die ganz großen Perioden der Kunst Zeiten eines tiefschürfenden objektiven Realismus sein müssen. Er weiß aber zugleich, daß dies im Deutschland seiner Gegenwart nicht zu erwarten ist. Während in Ländern, in denen die soziale Entwicklung wenigstens eine Vorhut von politischer Reife hervorgebracht hat, solche Übergangsperioden eine Literatur des gesellschaftskritischen Realismus entstehen lassen (man denke an den russischen Roman der Mitte des neunzehnten Jahrhunderts), ist dies im national zerrissenen Deutschland objektiv unmöglich. Darum proklamiert Heine als Übergangszeit eine Literaturperiode, deren bezeichnendste Erscheinung seine eigene lyrisch-ironische, subjektive Kunst ist. Versuche, sogar von seiten beträchtlicher Begabungen, in Deutschland einen gesellschaftskritischen Realismus zu schaffen, waren natürlich vorhanden. Aber die von der deutschen Misere in Spießerhaftigkeit gedrückten, national zerstückelten, noch nicht inmitten eines zur Nation gewordenen Volkes lebenden Deutschen vermochten in dem sie umgebenden Leben weder den geeigneten Stoff noch die entsprechende Form für einen gesellschaftskritischen Realismus zu finden.

Ist nun die von Heine formulierte schroffe Wendung der deutschen Literatur von den revolutionären Ereignissen des Jahres 1830 ausgelöst worden, so sind damit doch nur längst vorhandene Sprengstoffe explodiert. Nicht nur daß die ideologischen Führer der literarischen Umwälzung, vor allem Börne und Heine, damals schon allgemeinbekannte oppositionelle Schriftsteller waren – auch sonst regte sich überall die Unzufriedenheit mit der Restaurationsperiode und ihrer herrschenden literarischen Ausdrucksform, der Romantik.

Denn schon unsere bisherige Analyse der Romantik hat gezeigt, daß sie zwar die führende literarische Tendenz der Zeitspanne zwischen 1806 und 1830 war, daß aber ihre Herrschaft immer von den verschiedensten Seiten angegriffen wurde. Es gibt auch unter den Schriftstellern, die sowohl persönlich wie ihrer Schaffensmethode nach vielfach eine mehr oder weniger tiefgehende Verwandtschaft, Verbundenheit mit der Romantik aufweisen, solche, die weder politisch noch weltanschaulich den Obskurantismus der vollentfalteten Romantik mitmachten, die mehr oder weniger klar und entschieden ihre Arbeit in den Dienst des Fortschritts stellten.

Chamissos Schaffen berührt sich vielfach eng mit der Romantik, obwohl sein »Schlemihl« eher ein Vorläufer der Hoffmannschen Phantastik als eine Parallelerscheinung zu Tieck oder Arnim ist. Und seine Poesie, die die volkstümlich-plebejischen Tendenzen der Zeit (freilich mehr dem Gehalt als der Form nach) glücklich aufnimmt, ist, in ihrer Hauptlinie, anklagend oder ironisch gegen die feudalabsolutistische, gegen die gedrückt-spießige deutsche Armseligkeit gerichtet. Komplizierter ist der Entwicklungsweg Immermanns. Obwohl er nie eigentlich Romantiker im Schulsinne war, lastet romantische Formauflösung und Formspielerei schwer auf seinem Streben, sich dichterisch selbst zu finden – um so mehr, als seinem preußischen Ernst, seiner preußischen

Schwerfälligkeit die leichte Hand eines Tieck oder Brentano vollständig fehlt. Die Berührung mit der Romantik hindert ihn auch daran, geistigen Anschluß an die klassische Philosophie zu finden. Immermann hat einen schweren Weg zurückgelegt, bevor er in seinen großen Romanen imstande war, die Frage nach einer umfassenden Darstellung der deutschen Wirklichkeit realistisch aufzuwerfen und nach jahrzehntelanger Pause, unter völlig veränderten Bedingungen, die Fäden des »Wilhelm Meister« wiederaufzunehmen. Immermann führt nach langer Zeit die Darstellung des deutschen Lebens aus Formexperimenten und Provinzialismus heraus. Seine Lösungen sind vielfach mehr als brüchig; aber gerade ihr unorganisch-fragmentarisches Wesen ist ein Spiegelbild des Zustandes, in dem sich die damalige bürgerliche Gesellschaft Deutschlands befand.

Ganz anders geartet ist die dritte wichtige Übergangsgestalt: Platen. Er war ein leidenschaftlicher Gegner der Romantik, nicht nur politisch, sondern auch künstlerisch. Platen bekämpfte die romantische Formauflösung und Mystik. Platen nimmt die klassische Strenge der Formgebung wieder auf, und, was sehr wesentlich ist, keineswegs mit einem akademisch antikisierenden Inhalt, sondern mit dem echten, auf die Zukunft gerichteten Pathos des Citoyens, mit dem Pathos von Freiheitsliebe und Tyrannenhaß. Mit dieser Unerbittlichkeit bestimmt sich seine Bedeutung und seine Grenze. Seine dichterische Größe ist die streng geschlossene Form auch für die kompliziertesten, modernsten Empfindungen. Seine Grenze liegt darin, daß diese Gefühle bei ihm gerade durch die Starrheit seiner Formgebung oft zu kurz kommen.

Hier zeigt sich nochmals die innere Gegensätzlichkeit der Romantik als allgemeiner Kunst- und Weltanschauungsströmung. Sie war in Europa und auch in der deutschen Literatur weder ein unglücklicher Zufall noch eine einfache Verirrung. Das Ausdrucksuchen für spezifisch moderne Weisen des Lebensgefühls, das Streben nach Erneuerung der volkstümlichen Formgebungen gerade zur Wiedergabe solcher Erlebnisse bilden eine unvermeidliche Etappe der europäischen Literaturentwicklung in der ersten Hälfte des neunzehnten Jahrhunderts. Es ist eine deutsche Besonderheit, daß in dieser Tendenz die reaktionären Elemente, die ihr nirgends ganz fremd waren, ein derartiges Übergewicht erhielten. Wenn nun Platen sich diesen Bestrebungen und ihren für Deutschland typischen reaktionären und dekadenten Auswüchsen heroisch entgegenwirft, so verliert er zugleich vieles Positive, das andere aus ihnen schöpfen konnten. Daß er im Deutschland der Restaurationszeit literarisch und politisch allein steht, bewirkt die Abstraktheit seines Citoyen-Pathos und seine literarische Tragik überhaupt. Platen hatte, wie Herwegh, sein großer Verehrer, über sein Schicksal richtig bemerkte, »bei seinem Leben leidenschaftlich um die Teilnahme des Volkes gerungen und fand sie nirgends als in den Zirkeln der Aristokratie, die seinem stolzen Sinne so zuwider sein mußten«.

Die Widersprüche, die im Schaffen dieser wichtigen Übergangsgestalten auftreten, finden wir auf höherer Stufe auch bei den literarischen Führern der Vorbereitungszeit zur demokratischen Revolution in Deutschland: die von Platen bei Börne, die von Immermann bei Heine.

Wie Platen der größte Citoyen-Dichter dieser Periode war, so Börne der erste wirkliche Citoyen-Publizist im Deutschland des neunzehnten Jahrhunderts. Aber bei Börne wird das jakobinische Citoyentum viel ernster und wirklichkeitsnäher als bei Platen, freilich eben deshalb noch viel widerspruchsvoller. Börne nimmt das Plebejertum des Jakobinismus ganz ernst, während Platen noch für Marat nur das obligate Grauen hatte. Börne ist so auch zu einem wirklichen Jakobinismus vorgestoßen; zu einem echten, denn er begnügt sich nicht mehr mit einer noch so radikal durchgeführten formalen Freiheit und Gleichheit, mit der vollkommenen Vernichtung der feudalen Überreste. Er sieht das Problem der Armut in der entfalteten bürgerlichen Gesellschaft, wie sie auch die radikalsten Jakobiner, die Marat, Robespierre und Saint-Just gesehen haben; er will der Armut ebenso wie diese abhelfen, aber er findet dazu, ebenso wie diese, keine Wege. Wie diese setzt er die Tugend auf die Tagesordnung, predigt eine volkstümliche Enthaltsamkeit, betrachtet mit revolutionär-wachsamem Mißtrauen alles, was von »oben« kommt, sei es Politik, Ideologie oder Dichtung. Er endet aber bei der ehrlichen Durchführung all dieser Tendenzen in der Nachbarschaft des ins Reaktionäre schillernden Pseudosozialismus von Lamennais.

So ist Börne, ganz anders als ein Vierteljahrhundert vor ihm Hölderlin, ein verspäteter Jakobiner. Da die Verspätung sozial weit fortgeschritten ist, trägt seine Tragik bereits einzelne karikaturistische Züge, die dann noch später bei den französischen Epigonen von 1793 in der Achtundvierziger Revolution so schroff hervortraten. Aber auf dieser Grundlage entsteht die Problematik seiner literarischen Stellung. Indem Börne einen ideologischen und stilistischen Anschluß an die adelsfeindlichen und volkstümlichen Überlieferungen Deutschlands sucht, spielt er Jean Paul gegen Goethe aus. Mit dieser Wendung trennt sich aber Börne von den wichtigsten fortschrittlichen Bewegungsprinzipien der deutschen ideologischen und literarischen Entwicklung. Er erneuert die spießbürgerlichen Argumente aus Herders später Goethe-Polemik gegen dessen Unsittlichkeit, und indem er den Herderschen Kampf gegen die Vorherrschaft des ästhetischen Maßstabs in Literatur und Leben wiederaufnimmt, entsteht bei ihm oft eine ausgesprochen kunstfeindliche Tendenz. Die dabei auftretenden Widersprüche gehen so tief, daß er – der erbittertste Feind der reaktionären Romantik – geradezu die Kritik von Novalis an Goethe erneuert; auch er betrauert die Niederlage des »poetischen« Prinzips im »Wilhelm Meister«, auch er nimmt in diesem Sinne für die Gefühlsanarchie und Formlosigkeit Stellung gegen Goethes angeblich lebensfeindliche Strenge (Parteinahme für Bettina gegen Goethe in der Besprechung von »Goethes Briefwechsel mit einem Kinde«).

Die asketische Strenge des jakobinisch-plebejischen Revolutionärtums und die chaotische Empfindungsschwelgerei des Spießers aus der deutschen Misere konnten in Börne nie zur Harmonie, nicht einmal zu einer widerspruchsvollen Einheit, wie bei seinem großen stilistischen Vorbild, Jean Paul, gelangen.

An Börnes literarischem Schicksal ist deutlich zu sehen, wie sehr – bei aller konservativen Beschränktheit des Systems – die Hegelsche Philosophie, die er ebenso gehaßt und bekämpft hat wie die Goethesche Dichtung, dem Wesen ihrer Methode nach eben doch, wie Herzen sagte, »die Algebra der Revolution« enthält.

Hinter allen Gegensätzen, die Heine von Börne und seinen anderen radikalen Zeitgenossen trennten, lag eben diese Erkenntnis. Heine ist als Revolutionär sich stets dessen bewußt, daß er im Grunde nur als erster das »Schulgeheimnis« der Hegelschen Philosophie »ausgeplaudert« hat. Er ist in Deutschland der erste revolutionäre Denker und Dichter, der auf der Höhe der europäischen Entwicklung steht, und neben Goethe und Hoffmann der einzige deutsche Schriftsteller des neunzehnten Jahrhunderts, der im wahren Sinne des Wortes eine weltliterarische Wirkung gehabt hat.

Auf solchen Erkenntnissen beruht die Bedeutung der Prosaschriften Heines, deren tiefe Einblicke in die deutsche Geschichte, vor allem in die deutsche Literaturgeschichte, von ihrer spielerisch-geistreichen Form, von ihrem oft allzu starken Subjektivismus für viele verdeckt werden. Heine hat, wie wir gesehen haben, die tiefe Krise, in der sich das ganze deutsche Geistesleben und mit ihm die Literatur seiner Zeit befand, nüchtern und richtig erkannt; er hat sich auch über seine Gegenwart als Durchgangsstufe – inbegriffen seine eigene literarische Stellung in ihr – nicht getäuscht. Er suchte – hier liegt sein Gegensatz zu Börne und allen anderen zeitgenössischen Kritikern der Vergangenheit der deutschen Literatur – einen Weg in die Zukunft, der im tiefsten Sinne des Wortes ein deutscher sein sollte; das heißt, er wollte geistig und politisch auf der Höhe seiner besten westlichen Zeitgenossen stehen und wollte zugleich die unvergänglichen Errungenschaften der Aufklärung und der Klassik, ja auch der von der Reaktion gereinigten volkstümlichen Bestrebungen der Romantik, im Sinne Hegels aufgehoben, bewahren. Darum ist seine Kritik Goethes, Hegels und der Romantik, seine Polemik gegen Platen, Börne und die politische Lyrik der Gegenwart (einige subjektivistische Ausartungen abgerechnet) auch für die spätere Entwicklung richtungweisend.

Aus diesem Lebensgrund erwächst auch seine Poesie. Sie ist die eines universalen, modernen deutschen Revolutionärs und zugleich die innere Leidensgeschichte des modernen Menschen, des modernen Deutschen in seiner ganzen inneren Gegensätzlichkeit; sein lyrisches Selbstbildnis gibt in seiner ganzen selbstironischen Subjektivität zugleich ein Weltbild: das Bild des Menschen dieser Zeit in seiner Zerrissenheit, mit allen seinen Hoffnungen und Enttäuschungen; ein Weltbild, das von der Liebe bis zur Politik die ganze extensive und intensive Totalität des Lebens umfaßt. Und diese so ausgesprochen moderne Lyrik erhebt sich vom Boden des deutschen Volkstums: Heine hat die volkstümlichen Traditionen der Aufklärung und der Romantik ins Zeitgemäße hinübergerettet.

Der Universalismus Heines wird später von seinen liberalen Verehrern verflacht, von seinen reaktionären Gegnern geflissentlich verleugnet. Es ist nicht erkannt worden, daß die subjektivistische, lyrisch-ironische Form seiner Poesie – auch in seinen größeren poetischen und prosaischen Werken – die einzige künstlerische Möglichkeit war, die widerstreitenden Tendenzen im damaligen Deutschland in ihrer Ganzheit umfassend, realistisch, ohne Provinzialismus und ohne falsche Romantik zu gestalten. Im alten, objektiv zurückgebliebenen, aber eben darum geschlossenen Deutschland der Klassik war noch ein objektiver Realismus möglich – wenn auch, wie wir gesehen haben, mit vielen utopischen Elementen. Jetzt, wo die Misere noch bestand, aber innerlich wie äußerlich in den Strudel der revolutionären Umwandlung gerissen wurde, war die lyrisch-ironische Form der »Reisebilder« (auch »Deutschland. Ein Wintermärchen« ist ein Reisebild) der einzige künstlerische Weg zum Universalismus.

Heine steht in dieser Vorbereitungszeit zur demokratischen Revolution geistig wie künstlerisch auf einsamer Höhe. Besonders die unmittelbar an ihn und Börne anschließende Bewegung des »Jungen Deutschlands« hat von beiden fast nur die Manieren übernommen. Das hat politisch-weltanschauliche Gründe. Selbst Gutzkow, die in jeder Hinsicht bedeutendste Gestalt der Bewegung, ist nicht viel mehr als ein deutscher Liberaler mit allen lokal-deutschen Borniertheiten, mit allen politischen, geistigen und künstlerischen Beschränktheiten; er ist weder ein plebejischer Jakobiner wie Börne noch ein umfassender revolutionärer Dialektiker wie Heine. Natürlich ist die deutsch-französische Linie von Börne und Heine auch im »Jungen Deutschland« vorhanden, das Bestreben, der deutschen Literatur den Anschluß an das fortschrittlichste Westeuropa zu sichern und zugleich jene deutschen Überlieferungen zu erneuern, die einen angemessenen Ausdruck der neuen Inhalte ermöglichen können. Während aber Heine in beiden Richtungen auf das Wesentliche ausging, aus den wirklichen Tiefen schöpfte, blieben beide im »Jungen Deutschland« auf der Oberfläche. Die Jungdeutschen übernahmen aus Frankreich vor allem die Tendenzliteratur im Roman und besonders im Drama, das heißt eine Form des Dramas, die zum theatralischen Beweis bestimmter aktueller Thesen diente, in der Regel aber nicht auf die dramatische Gestaltung der Probleme ausging, sondern bloß durch theatralisch-rhetorische Szenen, durch Tagesanspielungen u. ä. wirkte. Auch ihre Wurzeln in den heimatlichen literarischen Überlieferungen waren zumeist eklektisch-oberflächliche, mehr zufällige Erneuerungen bestimmter aktueller Inhalte als ein fruchtbares Zurückgreifen auf Gehalte und Formen, die der Wiedergeburt würdig gewesen wären (Reimarus, Schleiermacher u. a. bei Gutzkow). So war aus der ganzen Bewegung – vielleicht mit Ausnahme einiger Schauspiele Gutzkows – schon nach kurzer Zeit nur noch sehr wenig literarisch lebendig.

In den dreißiger Jahren gibt es nur einen, in seinem kurzen Leben literarisch mächtigen, meteorartig auftauchenden und verschwindenden Schriftsteller, der wirklich auf der Höhe der Epoche stand: Georg Büchner. Sein

»Dantons Tod« ist nicht nur das bedeutendste Drama der Zeit, sondern der einzige große Schritt, den die deutsche Dramatik seit Goethe und Schiller getan hat. Bei ihnen ist das moderne historische Drama entstanden. Büchners Realismus geht jedoch über das ihrige hinaus. Der Verzicht auf Schönheit – das Heraustreten aus der »Kunstperiode« –, das entschiedenere Shakespearisieren ist nur die äußerliche Seite; Büchner gelingt es vor allem, in der tragischen Gegenüberstellung Dantons und der Revolution all ihre Größe, ihre Schwächen und Begrenztheiten rein dramatisch zu gestalten, in Charaktere und Situationen umzusetzen. Von der sozialen bis zur weltanschaulichen Problematik der größten demokratischen Revolution ist hier alles in Handlung gegossen. Büchner, der diese Fragen in ihrer ganzen theoretischen und praktischen Tragweite in der kurzen Zeit seiner illegalen hessischen Propaganda erlebte, hat das größte künstlerische Vorbereitungswerk zur Rüstung der deutschen Intelligenz in dieser Gärungszeit geschaffen. Es ist für die ideologische Entwicklung Deutschlands bezeichnend, daß dieses Drama und die anderen ebenfalls bedeutenden Werke Büchners sehr selten ihrem wahren Gehalt nach gewürdigt wurden, obwohl sie rasch bekannt wurden; die tiefschürfende Selbstkritik der demokratischen Revolution wurde sogar mehr als einmal direkt gegenrevolutionär gedeutet. Das Unverständnis für die kritische Tiefe Heines und Büchners ist ebenso ein Symptom der literarischen und politischen Unreife Deutschlands in der Vorbereitungszeit der demokratischen Revolution wie die Flachheit und Gehaltlosigkeit des »Jungen Deutschlands«.

Die Unreife zeigt sich auf allen Gebieten der Literatur, in ihren großen wie in ihren kleinen Erscheinungen. Die ständige Verschärfung der politischen Lage erhielt noch einen Ruck mit der Thronbesteigung Friedrich Wilhelms IV. Zum erstenmal seit dem Bestehen Preußens gab es einen Monarchen, der sich für deutsche Kunst, Philosophie und Literatur interessierte, der ihr Mäzen sein wollte. Seine Versuche jedoch, eine neue Romantik hochzuzüchten, schlugen fehl, am krassesten auf dem Gebiet der Literatur. Während die von ihm geförderte romantische Reaktion in der Wissenschaft immerhin Köpfe von der Bedeutung des alten Schelling und Stahls nach Berlin ziehen konnte, erwiesen sich alle Versuche des Berliner Hofs, die Literatur in den Dienst der politischen Romantik zu stellen, als Nieten. So tief die reaktionäre Ideologie der Romantik auch in weite Kreise eingedrungen war, zu poetischer Fruchtbarkeit ließ sie sich nicht mehr erwecken.

Dagegen entstand auf der anderen Seite eine Erneuerung des alten fortschrittlichen Deutschlands, und zwar gerade dort, wo auch die »Kunstperiode« groß war: in Poesie und Philosophie. Die Verschärfung der politischen Gegensätze in den vierziger Jahren ist die Zeit der endgültigen Auflösung des Hegelianismus und des Aufschwungs der deutschen politischen Lyrik. Was das »Junge Deutschland« nicht zu geben vermochte, entstand aus dem Zersetzungsprozeß der klassischen deutschen Philosophie: eine ideologische Kritik des Bestehenden. Anfangs (Gans, Heine) wird die Kritik mehr angedeutet als durchgeführt; noch in den dreißiger Jahren tritt aber D. F. Strauß mit seiner Religionskritik auf, es folgen die »Hallischen Jahrbücher« Ruges, dann im raschen Nacheinander Bruno Bauer, Feuerbach, der junge Marx und der junge Engels. Dieser Vorgang kann hier natürlich nicht im einzelnen erörtert werden. Es soll nur darauf hingewiesen werden, daß er sich keineswegs auf den radikalen linken Flügel und auf die extreme Reaktion beschränkt. Vischer, Rosenkranz u. a. entwickeln aus diesem Auflösungsprozeß eine Ideologie des Liberalismus, ebenso wie Johann Jacoby einen energischen demokratischen Radikalismus aus dem philosophischen Lager der Kantianer.

Parallel und vielfach im Kampf verbunden mit diesem Prozeß entwickelt sich die politische Lyrik. Besonders bei Freiligrath und Herwegh erreicht sie eine in Deutschland noch nicht dagewesene Wirkung und zugleich eine nicht unbeträchtliche poetische Höhe. Merkwürdig und zugleich bezeichnend ist es, daß auch hier das abstrakte Pathos Platens und das abstrakte Demokratentum Börnes wirksamer sind als die bereits in Deutschland erreichte entwickeltere politische Ideologie und Poesie Heines. In der naiven Gemütlichkeit des Utopismus von Freiligraths »Ça ira«, in dem oft wirklichkeitsfernen Schwung von Herweghs poetischem Aktivismus zeigt sich, daß das Erwachen der deutschen Intelligenz noch weit entfernt war von jeder politischen Zielklarheit, von Einsicht in die Lage und ihre Aufgaben. Es war z. B. – unter deutschen Bedingungen – eine anerkennenswerte Tat, daß Herwegh sich zur parteinehmenden Poesie bekannte, daß er die »höhere Warte« Freiligraths leidenschaftlich verwarf. Wenn er aber gegen dessen überparteiliches Programm für den Poeten:

> Er beugt sein Knie dem Helden Bonaparte
> Und hört mit Zürnen d'Enghiens Todesschrei;
> Der Dichter steht auf einer höheren Warte
> Als auf den Zinnen der Partei.

sein eigenes entwickelt, so bleibt sein Aufruf doch einer für eine Parteinahme überhaupt, die an sich auch eine reaktionäre sein könnte:

Oh, wählt ein Banner, und ich bin zufrieden,
Ob's auch ein andres denn das meine sei . . .

So groß seit Chamisso die Begeisterung der fortschrittlichen Lyriker Deutschlands für Béranger war, seine konkrete, rebellische Volksverbundenheit konnten die deutschen Verhältnisse nicht erzeugen. Darum gilt auch für die begeistertsten Stücke der politischen Lyrik ziemlich weitgehend die ironische Kritik Heines:

Blase, schmettre, donnre täglich,
Bis der letzte Dränger flieht –
Singe nur in dieser Richtung,
Aber halte deine Dichtung
Nur so allgemein wie möglich.

Wenn man also von höchsten ideologischen Spitzen der Zeit, von Heine, Büchner und vom jungen Marx, absieht, erblickt man überall die alten Schwächen und Schranken der deutschen Entwicklung in neuer Auflage; jedoch durch die sich stets verschärfende Lage, die auch ursprünglich nicht zur Aktivität geneigte Naturen in Kämpfe drängt, sogar in einer verschärften Weise, da die (wenn auch noch so verworrene) Annäherung an das öffentliche Leben alle inneren Gegensätze der Persönlichkeit und der Weltanschauung notwendig auf die Spitze treibt. Vor dieser Zeitstimmung kann sich deshalb niemand vollkommen abschließen; wenn es versucht wird, entsteht rein innerlich eine ähnliche Verschärfung der Widersprüche.

Das ist an einem der größten lyrischen Talente des neunzehnten Jahrhunderts, an Eduard Mörike, am klarsten sichtbar. Seiner Natur nach ist er eine idyllisch-romantische Begabung, in der, wie früher bei Eichendorff, die volksnahen, Volkstümlichkeit heischenden Tendenzen der vergangenen stilleren »Kunstperiode« in seltener Reinheit zum Ausdruck kamen. Unter den Bedingungen dieser Zeit mußte daraus eine Abwehr, ein gewolltes In-sich-Verschließen entstehen:

> Laß, o Welt, o laß mich sein!
> Locket nicht mit Liebesgaben,
> Laßt dies Herz alleine haben
> Seine Wonne, seine Pein!

Auf dieser Grundlage wächst seine künstlerisch reine, im echtesten Sinne formvollendete Lyrik: ein Gesang der idyllischen Entsagung. »Ist denn Kunst«, wird in seinem Roman ›Maler Nolten‹ gefragt, »etwas anderes als ein Versuch, das zu ersetzen, was uns die Wirklichkeit versagt?« Mörike ist ein Spätling der besten romantischen Bestrebungen, freilich zugleich auch jener, in denen der Spießbürger die Romantik, die einst gegen ihn so kriegerisch auszog, friedlich-lieblich umarmt und verschlingt. In seinem Leben findet einer seiner modernen Verehrer »den vollen Abglanz des romantischen Philistertums«. Mörike bildet damit den Anfang einer deutschen Entwicklung, der Literatur der Flucht aus dem Leben der Gegenwart, die uns später – in einer zerrisseneren, unglücklicheren Form – als Flucht ins romantische Sonderlingstum begegnen wird. Mörike selbst ist es noch – wenigstens in seiner Lyrik, in seinen gelungenen Gedichten und in einigen kurzen Erzählungen (»Mozart auf der Reise nach Prag«) – geglückt, auf künstlich beschränkter Grundlage Abgerundetes ohne Polemik und ohne Zerrissenheit zu schaffen. Darum macht die reaktionäre Literaturgeschichte aus ihm den Helden dieser Periode, die Gegengestalt zu Heine, der zuerst herabgesetzt, dann vom Faschismus aus der deutschen Literatur ausgebürgert wurde. Der Kampf gegen solche reaktionären Verfälschungen muß in der literarischen Wertung das rechte Verhältnis herstellen, wobei auch die Ursachen für das frühzeitige Versiegen der dichterischen Kraft Mörikes erforscht werden müssen.

Im schroffen Gegensatz zu dieser sturmumtobten Idylle steht die Dichtung Lenaus, des anderen bedeutenden Lyrikers der Zeit. Auch hier gilt es für die Literaturgeschichte, Legenden zu zerstören, die sich gebildet haben, insbesondere über die individuelle Haltlosigkeit, über den metaphysischen Pessimismus Lenaus. Lenau selbst hat sich über die wirklichen Gründe dieses Pessimismus gerade in der Zeit seiner Reife klar ausgesprochen:

> Woher der düstere Unmut unserer Zeit,
> Der Groll, die Eile, die Zerrissenheit? –
> Das Sterben in der Dämmerung ist schuld
> An dieser freudearmen Ungeduld;
> Herb ist's, das lang ersehnte Licht nicht schauen,
> Zu Grabe gehn in seinem Morgengrauen . . .

Lenaus Größe liegt auf früheren Stufen seiner Entwicklung in der unklaren Leidenschaftlichkeit des Suchens, in dem ergreifend aufrichtigen Aussprechen der Enttäuschung, der Sehnsucht, der Erbitterung und Verzweiflung, in seiner letzten Zeit aber in der breiten und tapferen Kampfstimmung. Bei ihm sehen wir einen – wenn auch nicht pfeilgeraden, so doch sicheren – Weg von lokal beschränkter romantischer Dichtung (zuerst in Österreich, dann im Anschluß an die »Schwäbische Schule«) zu national fortschrittlicher Stoffwahl und Formgebung. Bezeichnend dafür ist, daß Lenau, lyrisch bleibend, über die bloße Lyrik hinausgetrieben wurde und daß die Stoffe seiner Reifezeit aus der internationalen Befreiungsbewegung der Menschheit stammen (»Savonarola«, »Die Albigenser«). Die Neigung, die Ungunst der deutschen Vergangenheit für Dichter, die das national Fortschrittliche suchen, durch eine solche Stoffwahl zu überwinden, verbindet bei aller individuellen Verschiedenheit Lenau mit Georg Büchner, ebenso wie ihn, wiederum bei aller individuellen Verschiedenheit, das Transzendieren der Lyrik in eine realistische Totalitätsgestaltung mit Heine verbindet.

Wir erkennen darin die schwierige Lage für Realisten, die an der Ungunst der deutschen Stoffe in Vergangenheit und Gegenwart nicht vorbeigehen können. Büchner hat in »Dantons Tod« und im »Woyzek« genial seine Themen gefunden. Grabbe irrte zwischen einem allgemein welthistorischen »Heldensuchen« und einer äußerst problematischen nationalen Thematik (»Hermannsschlacht«, »Hohenstaufen«) haltlos hin und her. Und im schroffen Gegensatz zu den verbreiteten Legenden der deutschen Literaturgeschichte gibt in dieser Frage die »Bodenständigkeit«, die Verwurzelung in heimatlichen Überlieferungen keine Richtung, ja sie erschwert sogar die Entwicklung begabter Schriftsteller zu einem wirklich hochstehenden Realismus.

Willibald Alexis hat nicht nur wirkliche Gaben eines echten Realisten, sondern auch ästhetische Einsichten gehabt, die weit über den üblichen Formalismus hinausgehen. Er ist der einzige Deutsche, der die epochemachenden Eigenschaften des historischen Romans Walter Scotts verstanden hat. Trotzdem mußte sein Versuch scheitern, die preußische Geschichte im realistisch-historischen Stil Scotts zu gestalten, und zwar nicht an seinen individuellen schriftstellerischen Schranken, sondern daran, daß er die kleinliche Armseligkeit der preußischen Geschichte nicht durchschaute. Schon Gutzkow kritisierte mit Recht die Illusion einer »Verwandlung der märkischen Lokalgeschichte in Reichsgeschichte«, und Fontane ergänzt diese Kritik richtig, wenn er erklärt, daß »keine Anstrengung ... je dahin führen (wird), die Mark zu jenem gelobten Lande zu machen, das von Anfang an ... die Verheißung Deutschlands gehabt habe«. Infolge solcher Selbsttäuschungen konnte Alexis, wenn man von Einzelheiten absieht, nur dort zu wirklicher Gestaltung gelangen, wo er sich von vornherein aufs Lokale und seine humoristische Behandlung beschränkte. Damit war freilich der Wurf Walter Scotts vertan.

Je größer ein Schriftsteller, desto stärker treten die Widersprüche seiner Zeit in seinem Schaffen ans Tageslicht. Freilich, je größer er ist, desto mehr gelingt es ihm, auch sie in seinem Schaffen zu einer beweglichen und bewegten Einheit zusammenzufassen. Dem größten dichterischen Talent Deutschlands, das in den vierziger Jahren auftrat, eignet Größe vornehmlich im ersten Sinne. Friedrich Hebbel sagte über sich selbst: »Große Talente kommen von Gott, kleine vom Teufel«, und Hebbel hat immer scharf und bescheiden die Distanz betont, die ihn von den ganz großen Dichtern trennt.

Wer ist nun jener Teufel, der die mächtige Hebbelsche Begabung zu einer problematischen machte? Vor allem wieder die Spießerei der deutschen Misere. Hebbel ist nicht nur ein tiefer Menschengestalter, ein spontan starker Tragiker gewesen, sondern auch ein tiefschürfender Kunstdenker. Von den Schriftstellern der Zeit war er ohne Frage am fruchtbarsten von ihrer wichtigsten ideologischen Bewegung berührt, von der Auflösung der Hegelschen Philosophie, von der zeitgemäßen Anwendung der Dialektik auf das Leben der Gegenwart. Seine

Dramatik ist ein Teil dieser geistigen Vorbereitung der Achtundvierziger Revolution.

Man vergleicht Hebbel oft mit Kleist. Hebbel ist aber nie ein Reaktionär ohne Verständnis für den Fortschritt gewesen wie Kleist. Er empfand die tiefe Krise seiner Zeit und wollte sein Drama in den Dienst ihrer Heilung stellen. Er führt aus: »Die dramatische Kunst soll den welthistorischen Prozeß, der in unseren Tagen vor sich geht und der die vorhandenen Institutionen des menschlichen Geschlechts, die politischen, religiösen, sittlichen, nicht umstürzen, sondern tiefer begründen, sie also vor dem Umsturz sichern will, beendigen helfen.« Diese politisch-geschichtsphilosophische Einschätzung der damaligen Lage steht bei Hebbel in einem scharfen – von ihm selbst nicht erkannten – Widerspruch zu seiner Kunstauffassung. Denn in der Beurteilung der Entwicklung des Dramas betrachtet er, mit Recht, Goethe als Urheber der neuen Periode, denn dieser »hat die Dialektik unmittelbar in die Idee selbst hineingeworfen, er hat den Widerspruch, den Shakespeare nur noch im Ich zeigt, in dem Zentrum, um das das Ich sich herumbewegt«, aufgezeigt. Der Tragiker Hebbel sieht also die Grundlage der gegenwärtigen Tragödie in den Widersprüchen des letzten Grundes der Wirklichkeit selbst – und doch glaubt er daran, daß die im Drama zutage tretende Wahrheit, also die Enthüllung der Widersprüche in den Grundlagen der Gesellschaft, die Rettung derselben Gesellschaft herbeiführen werde.

Bei großen Realisten ist es oft wenig bedeutsam, aus welchen Motiven sie die Widersprüche der Wirklichkeit aufdecken. Es kommt vielmehr darauf an, welche Mittel ihnen dabei zur Verfügung stehen, wie weit und tief dabei ihre Universalität des Denkens und des Gestaltens reicht. Und hier tritt der Teufel der deutschen Misere bei Hebbel in sein Recht. Hebbel hat die volle Tiefe, soweit es sich um die wichtigsten inneren Probleme der modernen Individualität handelt; die Berührung mit dem geistigen Umwälzungsprozeß seiner Zeit eröffnet ihm große welthistorische Ausblicke. Aber diese beiden Reihen der Weltauffassung klaffen in seiner Dramatik auseinander und können nur künstlich miteinander verknüpft werden. Hebbel ist nie imstande gewesen, welthistorische Auseinandersetzungen aus den individuellen Schicksalen seiner Helden wirklich organisch herauswachsen zu lassen. Daher das Gesuchte, Bizarre, oft Pathologische seiner Konflikte, seiner Fabeln und Gestalten, das der große Verehrer seiner Begabung, Gottfried Keller, scharf an ihm kritisiert hat.

Hebbels bedeutendste Schöpfung vor 1848, »Maria Magdalena«, sein am meisten organisches Drama, gibt den Schlüssel zu diesem rätselhaften Zwiespalt. Hier bewegt sich Hebbel auf einem Boden, den er von Geburt an kennt, auf dem der fürchterlichen Enge des deutschen Kleinbürgerlebens. Hebbel vermag hier, was ihm sonst nie gelang, aus der bloßen Tatsache des Lebens eine Reihe erschütternd echter und tiefer Tragödien zu entwickeln. In seiner tragischen Geschlossenheit steht dieses Werk einzig da in der deutschen Literatur des neunzehnten Jahrhunderts (und hat in der Weltliteratur dieser Zeit nur eine Parallelerscheinung: Ostrowskijs »Gewitter«). Aber der dichterische Sieg Hebbels wird hier um den Preis erfochten, daß die Dichtung die Perspektiven ihres Schöpfers widerlegt. Gerade der geschlossene Tragödienkreis dieses Dramas zeigt, daß wirkliches Aufdecken der tiefsten Widersprüche des deutschen Lebens nicht zu einer Neubefestigung der Grundlagen führen kann, sondern ein Aufruf werden müßte zu ihrer radikalen Zerstörung, zu einem endgültigen Verstopfen der

Quellen, die jene Stickluft erzeugen, die Menschen und Menschenwürde mordet. Daß aber in Hebbel nie jenes Citoyen-Pathos zur Vernichtung des Verrotteten laut wurde, das in »Emilia Galotti« und »Kabale und Liebe« lebt – das ist der deutsche Teufel des Spießertums, der aus ihm ein »kleines« Talent gemacht hat.

So hat das Eintreten des alten Deutschlands in den Erneuerungsprozeß Europas die alte, ruhig-beschauliche Zuschauerrolle aus der »Kunstperiode« vernichtet und damit eine neue Literatur geschaffen, die allerdings nur in Ausnahmegestalten, wie Heine und Büchner, wirklich auf der Höhe der Zeit stand, während in der »Kunstperiode«, als das ganze Dasein Deutschlands – europäisch gesehen – ein großer Anachronismus war, Dichtung und Philosophie Wegweiser für die Menschheitsentwicklung wurden. Diese Feststellung stammt von einem jungen Schriftsteller dieser Zeit, von Karl Marx. Marx schrieb auch um dieselbe Zeit die prophetisch-pessimistischen Worte über Deutschland:

»Allein wenn Deutschland nur mit der abstrakten Tätigkeit des Denkens die Entwicklung der modernen Völker begleitet hat, ohne werktätige Partei an den wirklichen Kämpfen dieser Entwicklung zu ergreifen, so hat es anderseits die Leiden dieser Entwicklung geteilt, ohne ihre Genüsse, ohne ihre partielle Befriedigung zu teilen. Der abstrakten Tätigkeit einerseits entspricht das abstrakte Leiden andererseits. Deutschland wird sich daher eines Morgens auf dem Niveau des europäischen Verfalls befinden, bevor es jemals auf dem Niveau der europäischen Emanzipation gestanden hat.«

Aber diese düstere Voraussicht stammt von einem Kämpfer, der alle seine Kräfte dafür einsetzte, daß sie sich nicht bewahrheitete. Die Arbeit des jungen Marx – von den Artikeln in der »Rheinischen Zeitung« über die

»Deutsch-Französischen Jahrbücher« (hier schon zusammen mit Friedrich Engels) bis zum »Kommunistischen Manifest« und bis zur »Neuen Rheinischen Zeitung« – ist nicht nur ein großes, längst nicht genügend gewürdigtes politisches Ereignis der Entwicklung des demokratischen Gedankens in Deutschland, sondern zugleich ein Kapitel der deutschen Literaturgeschichte, das noch zu schreiben ist. Seit Lessing gab es nicht eine solche Publizistik in deutscher Sprache, die die höchsten, selbsterarbeiteten Ergebnisse der Kunst und Ästhetik, der Philosophie und Gesellschaftslehre so eindringlich in den Dienst der »Forderung des Tages«, der freiheitlichen Erneuerung Deutschlands, gestellt hätte. Heine hat das Schulgeheimnis der Hegelschen Philosophie ausgeplaudert, Marx hat aus der radikalen Umgestaltung ihres wahren Kerns eine geistige Macht der Umwälzung und Wiedergeburt geformt. Wohl wächst der Begründer des wissenschaftlichen Sozialismus über die Grenzen der deutschen Geschichte (und erst recht der deutschen Literaturgeschichte) weit hinaus, aber dieses Hinauswachsen hat eine – unzerstörbare – deutsche Grundlage: die tiefste dem deutschen Geiste bisher gegebene Selbst- und Welterkenntnis, sowohl hinsichtlich des tragischen Fehlgangs seiner modernen Entwicklung wie in bezug auf die Wege, die zur Wiedergutmachung führen können. Nicht nur wegen ihrer klassischen Sprachform, sondern vor allem wegen dieses Gehalts schließen und krönen die Werke des jungen Marx die Vorbereitungsperiode der Achtundvierziger Revolution in der deutschen Literatur.

5

Die Grablegung des alten Deutschlands

Die Niederlage der Achtundvierziger Revolution beendet alle Anläufe zu einem freien Deutschland, zu einem Abschütteln der deutschen Misere. Die deutsche Bourgeoisie, stets ängstlich, stets zu Kompromissen mit den alten Mächten geneigt, flüchtet sich nach dem Juniaufstand des Pariser Proletariats unter die schützenden Fittiche des österreichischen und des preußischen Adlers und anderer gleich edler Wappentiere. Die demokratischen Kräfte sind viel zu schwach, unreif und unentschieden gewesen, um selbst die Führung an sich zu reißen. Die allgemeine Hoffnungslosigkeit, die nach der Niederlage entstand, trägt zu der ideologischen Kapitulation bei, die sich nun vollzieht. Die Demokraten vor Achtundvierzig begriffen noch – mehr oder weniger klar –, daß der richtige Weg zur Herstellung der nationalen Einheit des deutschen Volkes über seine politische Befreiung, über die Demokratisierung Deutschlands geht. Schon im Laufe der Revolution, ganz besonders aber nach ihrer Niederlage, siegte in ihren Seelen das Prinzip der Einheit über das der Freiheit, das heißt: immer mehr unter ihnen wollen ein einheitliches, mächtiges Deutschland, wobei es ihnen immer gleichgültiger wurde, wieweit sich diese Einheit auf einen freiheitlichen Umbau im Innern stützt. »Durch Einheit zur Freiheit« verkündet man zwar noch weiterhin, aber die Illusion, der Selbstbetrug, ja die Lüge gewinnt innerhalb der neuen Zielsetzung immer mehr die Oberhand. Der deutsche Liberalismus wird nationalliberal, die Demokratie »freisinnig«.

Die Niederlage begräbt alle Hoffnungen auf freiheitliche Erneuerung Deutschlands, und damit hat sich die ganze literarisch-ideologische Vorarbeit als vergeblich erwiesen. Denn diese Niederlage bedeutet in einer ganz anderen Weise eine Wendung der deutschen Geschichte als das politische Mißlingen der Befreiungskriege. Man pflegt zwar in beiden Fällen von Reaktionsperioden zu sprechen, die auf das Scheitern folgten; es handelt sich aber in beiden Fällen um grundlegend Verschiedenes. Jetzt erst beginnt das Hinüberwachsen Preußens und später ganz Deutschlands in eine »bonapartistische Monarchie«, um das treffende Wort von Friedrich Engels zu gebrauchen. Nunmehr zeigt sich die »nationale Mission« der Hohenzollern in ihrem vollen Glanze. Erst jetzt setzt die wirkliche Verpreußung Deutschlands ein. Außerdem ändert sich die soziale Funktion der Monarchie, indem ihre faktisch absolute Macht nicht mehr das »Gleichgewicht« zwischen Adel und Bürgertum herstellt, sondern das zwischen bürgerlich-adligem »Oben« und dem »Unten« des »niederen Volks«.

Allerdings entsteht in Frankreich aus den Stürmen der Achtundvierziger Revolution ebenfalls die Herrschaft des Bonapartismus. Aber erstens hat das französische Volk schon ein halbes Jahrhundert vorher die feudalen Überreste ausgekehrt, während die »bonapartistische Monarchie« in Deutschland die Aufgabe übernahm, diese in zeitgemäßer Anpassung an den Kapitalismus entweder einfach zu konservieren oder ohne Schaden für den Adel schmerzlos in modern-bürgerliche Verhältnisse überzuleiten. Zweitens ist der Bonapartismus in der französischen Entwicklung ein klarer Rückschlag, nach dem einige schwere Jahrzehnte später, nach dem Zusammenbruch der napoleonischen Reaktion 1870, die republikanische Linie wiederaufgenommen wurde, während es für Deutschlands unglückseligen Weg bezeichnend ist, daß Friedrich Engels den Übergang des alten preußischen Absolutismus in die »bonapartistische Monarchie« als Fortschritt bezeichnen konnte.

Diese paradoxe Lage macht die klare wissenschaftliche Erkenntnis der deutschen Literatur nach 1848 schwierig. Der unzweifelhaft vorhandene wirtschaftliche Fortschritt, die allmähliche wirtschaftliche Einigung des deutschen Volkes durch die Erweiterung des Zollvereins, das ebenfalls allmähliche Werden einer modernen bürgerlichen Gesellschaft führen dazu, der Literatur dieser Zeit eine falsche, übertrieben günstige Bewertung zu geben. Es entsteht die Ideologie von der »silbernen Periode« der deutschen Literatur, propagiert von Adolf Bartels, Paul Ernst und später von dem Neuhegelianer Glockner. Es soll damit zwar der Abstand von der »goldenen Periode« der Goethezeit betont, zugleich aber auch hervorgehoben werden, daß die deutsche Literatur einen neuen Aufschwung genommen habe, trotz oder unbeschadet oder gar wegen der Niederlage der demokratischen Bestrebungen der vierziger Jahre. In dieser literaturhistorischen Legende entspricht den Tatsachen nur so viel, daß zwischen 1848 und 1870 von den großen Talenten, die schon vor der Revolution hervorgetreten sind oder sich wenigstens damals ideologisch und künstlerisch geformt haben, eine ganze Reihe ihre dichterische Tätigkeit weiterentfaltete. Wieweit kann aber bei ihnen von einem dichterischen Fortschritt und damit in der Gesamtheit von einem Aufschwung der deutschen Literatur gesprochen werden? Die Tatsachen reden hier eine ganz andere Sprache als die Legenden der reaktionären Literaten.

Beginnen wir mit dem einfachsten Beispiel. Otto Ludwigs »Erbförster« ist unmittelbar nach der Niederlage der Revolution entstanden. Das Drama steht dramatisch wie geistig stark unter dem Einfluß von Hebbels »Maria Magdalena«, behandelt ebenso wie diese die Enge des deutschen Kleinbürgerlebens. Geistig bedeutet es jedoch den schärfsten Gegensatz zu Hebbels Tragödie, indem Ludwig hier eine »tragische Schuld« zu konstruieren bestrebt ist, die notwendig entstehen müsse, wenn der deutsche Kleinbürger, auf echte oder eingebildete »alte Rechte« pochend, gegen seinen Arbeitgeber, gegen die Obrigkeit aufbegehrt. In dieser Ludwigschen Theorie der »tragischen Schuld« ist – und zwar unter rein ästhetischer Form in einer knechtisch-servilen Weise – das deutliche Echo der Niederlage der Achtundvierziger Revolution in jenen Massen des deutschen Volkes und seiner führenden Intelligenz vernehmbar, die berufen gewesen wären, den demokratischen Umbau der vereinten Nation vorzunehmen. Der Falschheit der Ludwigschen Konzeption des Tragischen entspricht die Willkür der Fabel und des Aufbaus. Hettner nennt den »Erbförster« das »elendste aller Schicksalsdramen«.

Gestalt und Laufbahn Otto Ludwigs haben eine tragischen Charakter, vor allem wegen seiner bedeutenden schriftstellerischen Begabung, wegen seiner ungewöhnlichen Fähigkeit zur Verlebendigung von Menschen und Situationen, die nur in einigen Erzählungen zu einem relativen Gelingen gedeihen konnte, dazu wegen seines schriftstellerischen Schicksals. Im Suchen nach der »tragischen Schuld« als archimedischem Punkt für den dramatischen Aufbau verirrt sich Ludwig in einem Labyrinth von bodenlosem Psychologismus. Seine theoretischen Arbeiten und dramatischen Fragmente enthalten wesentliche technische Einsichten in Epik und Dramatik; die Arbeit an ihnen aber hat seine Gestaltungskraft zersetzt. Ludwig hat sich von der Ästhetik der »Kunstperiode« (vor allem von der Schillers) ganz losgelöst; es entsteht bei ihm ein moderner Psychologismus, der in einem unorganischen Gegensatz zu seinen Stoffen steht, die in der dunkelsten deutschen Misere beheimatet sind. Das tragische Schicksal des Schriftstellers Ludwig beweist seine wirkliche schriftstellerische Ehrlichkeit; einen Konjunkturerfolg wie den des »Erbförsters« hätte ein weniger gewissenhafter Autor ausnützen können, um zum Beherrscher der Bühne im gegenrevolutionären Deutschland zu werden. Ludwig lag jedoch jedes Konjunkturrittertum fern.

Die Tragik Otto Ludwigs ist keine psychologische, als die sie in deutschen Literaturgeschichten hingestellt wird. Sie hat vor allem eine allgemein-europäische Grundlage. Die fünfziger Jahre sind die Zeit des allgemeinen Übergangs auch der westlichen Literatur zur Moderne im engeren Sinne. Die Jahrhundertmitte ist die Zeit einer allgemein-europäischen Stilkrise (man denke an Flaubert, an die geistige Vorwegnahme der Prinzipien der Krise in Balzacs Künstlernovellen u. a.). Bei der Ungunst des entwickelten Kapitalismus als Stoffes für die Kunst und der auf seinem Boden sprießenden Kunstanschauung für die literarische Formgebung entsteht der Kampf um eine moderne und dennoch echt künstlerische Form für einen modernen Gehalt.

Diese allgemeine Krise wird auch in Frankreich kompliziert durch den ideologischen Tiefstand, den die Herrschaft Napoleons III. verursacht. Besonders verschärft wirken sich alle diese Motive in Deutschland aus. Daß Otto Ludwigs schriftstellerisches Irregehen weder psychologisch zu erklären ist, noch aus dem falschen Ansatzpunkt seiner individuellen künstlerischen Lösungsversuche stammt, zeigt das Schicksal anderer Dramatiker, vor allem Hebbels, die den Ausweg – auf der Oberfläche – in entgegengesetzter Richtung gesucht haben.

Die widerspruchsvollen Grundlagen der Hebbelschen Auffassung der Tragödie haben wir bereits aufgezeigt. Der Widerspruch verschärft sich nach der Niederlage der Achtundvierziger Revolution. Ästhetisch und weltanschaulich folgerichtig leugnet der junge Hebbel – wenn auch im Widerspruch zu der politisch-sozialen Mission, die er dem Drama zuschreibt – jede Versöhnung in der Tragödie, und seine Jugendwerke enden auch ausnahmslos mit schrillen Mißklängen. Indem er jetzt mit wachsender künstlerischer Reife die Zerrissenheit zu überwinden trachtet, kommen seinen schriftstellerischen Bestrebungen die politischen Erlebnisse und Erfahrungen der Achtundvierziger Revolution entgegen. Die tragische Versöhnung, die jetzt zur ästhetisch-weltanschaulichen Grundlage seines neuerwachten Suchens nach Schönheit wird, ist so eine Versöhnung mit der reaktionären Armseligkeit der Zeit nach 1848, ist ihre ästhetische Bejahung in der Form der Tragödie.

Die hier zugrunde liegende Auffassung des Tragischen hat einige neue Züge im Vergleich mit seiner Erscheinungsweise in der deutschen Klassik. Eine neue tragische Einsicht ist vor allem die, daß der einzelne kein Recht habe, am Bestehenden zu rütteln. Nicht der tragische Ausgang an sich spricht das Verbot aus. Goethe und Hegel wußten recht gut, daß der gegen das Bestehende kämpfende einzelne den Weg zu seinem tragischen Untergang beschreiten kann. Aber sie wußten ebensogut, daß der unaufhaltsame Fortschritt des Menschengeschlechts in der Form einer ununterbrochenen Kette solcher individueller Tragödien einen untragischen Charakter besitzt.

Hebbels »Pantragismus«, seine Auffassung des Tragischen als letzten Weltprinzips hebt dieses Eingebettetsein der individuellen Tragik in den menschheitlichen

Fortschrittsgedanken auf. Bei Hebbel steht diese Entwicklung im Zusammenhang mit seinem Abrücken von der Hegelschen Philosophie, mit seiner Annäherung an die Schopenhauers. Gleichzeitig, was noch wichtiger ist, zeigt sich hier, daß die entgegengesetzten Auffassungen des Tragischen bei Hebbel und Ludwig in ihren letzten Grundlagen, in ihrer Bestimmung des Verhältnisses von Mensch und Geschichte, menschlicher Aktivität und gesellschaftlichen Einrichtungen auf dasselbe hinauslaufen.

Aber auch in seiner besonderen Auffassung des Tragischen ist Hebbel weit weniger Einzelgänger, als allgemein angenommen wird. Schon während der Revolution, im Verlauf der Polendebatte in der Paulskirche, traten der zeitweise mit Hebbel befreundete Hegelianer Arnold Ruge und der Dichter Wilhelm Jordan mit der geschichtsphilosophischen Theorie auf, daß das Schicksal Polens eine Tragödie vorstelle. Daher sei es auch eine Flachheit, eine Sünde gegen den tragischen Geist der Weltgeschichte, seine Wiederherstellung anzustreben. Der Ästhetiker F. Th. Vischer, der Hebbel ebenfalls nahestand, gibt in seinem Uhland-Aufsatz eine ähnliche tragische Auslegung für das Auseinanderjagen des Stuttgarter Rumpfparlaments von 1849. Er sieht hier eine tragische Lage sowohl für die Parlamentarier wie für die gegenrevolutionäre Regierung: »... befanden sich die Minister in einem tragischen Konflikte, so war die Sachlage nicht minder tragisch für den anderen Teil: die Mitglieder des Parlaments konnten, wenn sie nicht als feige dastehen wollten, so wenig rückwärts, als die Minister unschlüssig und untätig bleiben durften. Ich meines Teiles verstehe, daß ich, wenn ich mich in zwei Personen hätte trennen können, wenn ich im Zuge gegangen und zugleich Minister gewesen wäre, gegen mich selbst, als im Zuge Befindlichen, das Militär aufgeboten hätte ...«

In dieser »erhaben objektiven«, in Wirklichkeit miserablen, feig liberalen Auffassung der Ereignisse von Achtundvierzig können wir unschwer den Schlüssel zur tragischen Konzeption von Hebbels »Agnes Bernauer«, zur berühmten Rede seines Königs Kandaules über den »Schlaf der Welt« in »Gyges und sein Ring« finden.

Freilich ist Hebbel nie in dem Ausmaße Schopenhauerianer geworden wie der frühere revolutionäre Feuerbachanhänger Richard Wagner. Dessen antikapitalistisch-rebellisch angelegter »Ring des Nibelungen« wurde nach der Niederlage von Achtundvierzig, nach Wagners Bekehrung zu Schopenhauer, in eine zeitlose Weltuntergangsstimmung umgegossen, in welcher die metaphysische Atmosphäre der absoluten Lebensverneinung das Scheitern einer jeden menschlichen Bestrebung zur tragischen Selbstverständlichkeit macht. Nietzsche, in Dingen der Dekadenz ein Experte ersten Ranges, beschreibt diesen Vorgang nach seiner Enttäuschung an Wagner mit bitterer und treffender Ironie: »Endlich dämmerte ihm ein Ausweg: das Riff, an dem er scheiterte, wie? wenn er es als Ziel, als Hinterabsicht, als eigentlichen Sinn seiner Reise interpretierte? Hier zu scheitern – das war auch ein Ziel. Bene navigavi, cum naufragium feci ... Und er übersetzte den ›Ring‹ ins Schopenhauerische. Alles läuft schief, alles geht zugrunde, die neue Welt ist so schlimm wie die alte: – das Nichts, die indische Circe winkt ...«

Diese Umarbeitung ist tief bezeichnend für die Zeit und bedeutet zugleich die Erfüllung der romantischen Bestrebungen. Die Vorliebe der Romantik für Nacht und Tod, für Krankheit und Verwesung, ihre Entwertung des Gesunden, im hellen Tag aktiv Wirkenden feiert hier höchste Triumphe. Was Novalis geträumt, was Görres und Creuzer dunkel verkündet haben, wurde erst in

Wagners »Götterdämmerung«, in seinem »Tristan« und – schließlich kirchlich geworden – in seinem »Parsifal« zu einem suggestiven Mythos, zu einer gesellschaftlichen Macht, die alle Schichten des deutschen Volkes erfaßte, die den ordinärsten Spießbürger ebenso packte wie den jungen Thomas Mann. Das ist die Erfüllung der romantischen Absichten auch im ästhetischen Sinne; denn das Wagnersche »Gesamtkunstwerk« ist die praktische Verwirklichung der romantischen Gattungsvermischung, der »progressiven Universalpoesie« des »Athenäums«.

Hebbel ist in allen diesen Richtungen nie so weit gegangen wie Wagner. Aber eben darum ist sein Werk weniger wirksam geworden. Bei ihm bleiben die großen welthistorischen Zusammenhänge bestehen, nur sind sie jetzt ausschließlich von metaphysisch-geschichtsphilosophischer Art; sie schweben völlig oberhalb der dramatischen Handlung und können aus ihr nicht organisch entwickelt werden. Und die Mittel, mit denen Hebbel die Verbindung zwischen tragischem Individuum und Weltgeschichte herstellt, zerreißen noch mehr den wirklichen Zusammenhang. Denn alle hier angedeuteten Motive (die bei verschiedenen Schriftstellern verschiedene Inhalte erlangen) drängen dazu, dem Helden ein volles Bewußtsein seiner tragischen Lage, eine volle Einsicht in die Notwendigkeit seines tragischen Untergangs zu geben, ja, sein Einverständnis mit diesem zu betonen. Dem metaphysischen (politisch-reaktionären) falschen Objektivismus in der Auffassung des Tragischen entspricht ein krankhaft überspannter, das Drama lyrisch-psychologisch sprengender falscher Subjektivismus.

Mit alledem sind Wagner und Hebbel noch immer Gestalten der Weltliteratur. Die philosophische und psychologische, die moralische Problematik, die in ihren Werken, wenn auch auf einem ins Mythische verzerrten

Hintergrund, lebendig ist, ist die der bedeutendsten ihrer europäischen Zeitgenossen. Wagner berührt sich ebenso nahe mit Flaubert wie Hebbel mit Ibsen und Dostojewskij. Während aber diese um einen großen modernrealistischen Stil rangen, blieben Wagner und Hebbel deutsche Übergangsgestalten, da ihr neuzeitlicher Gehalt in mystifizierend vertieften alten Formtraditionen steckenblieb. (Der Wert der musikalischen Neuerungen Wagners kann in diesem Zusammenhange nicht behandelt werden.) Daraus entsteht ein Abstand zwischen Gehalt und Form, der weder eine organisch künstlerische Harmonie im Sinne der »Kunstperiode« noch eine Entdeckung der grandiosen Disharmonie und Häßlichkeit des modernen Lebens für sie ermöglichte.

So bewahrheitet sich am Schicksal der bedeutendsten deutschen Schriftsteller, die die Krise von Achtundvierzig durchlebten, daß sie alle Nachteile der modernen bürgerlichen Entwicklung durchmachen müssen, ohne ihre Vorteile nutzen zu können. Vielleicht noch krasser, weil seinen Gestaltungen die Größe Hebbels und Wagners fehlt, zeigt sich dieses Schicksal beim nachrevolutionären Gutzkow. Gutzkow strebt einem modernen, alle Probleme der neuen Gesellschaft umfassenden Roman zu. Im Suchen nach der dieser Prosa entsprechenden Form entdeckt er den »Roman des Nebeneinander« – eine Formbestrebung, die in ihren letzten Absichten mit dem französischen Naturalismus, mit seinen breiten Milieuschilderungen, mit der Auflösung der »veralteten« Handlung in solche Beschreibungen verwandt ist und in der Tat alle künstlerisch-problematischen Züge dieser Richtung konzentriert in sich birgt. Jedoch das, wodurch Zola zur Weltliteratur gehört, war dem Deutschen Gutzkow nicht erreichbar. Sozial fehlt die objektiv-wirtschaftliche Einheit einer durchkapitalisierten Gesellschaft, das noch immer kleinliche, geographisch-zerrissene, gesellschaftlich unorganisch-heterogene deutsche Leben ließ noch nicht wirklich neue Kunstmittel für seine Wiedergabe aus sich entstehen. Was Gutzkow vor allem überwinden wollte, die falsche Romantik der deutschen Erzählungskunst, überwuchert auch seine Träume von einer neuen sozialen Epik. Dazu kommt die künstlerische Rückständigkeit des deutschen Schriftstellers; hier ist das Anachronistische in der deutschen Entwicklung klar zu sehen. Balzac war damals schon tot und doch bereits überall in der ganzen Welt wirksam und fruchtbar, als in Deutschland noch Eugène Sue als Muster oder abschreckendes Beispiel des allerneuesten französischen Realismus wirkte. Dieser echte deutsche Anachronismus ist einer der wesentlichen Gründe, weshalb die Gutzkowschen Pläne eines großen deutschen Gesellschaftsromans zum Scheitern verurteilt waren.

Diese Romane sind längst und mit Recht vergessen. Aber man muß ihre – wenn auch noch so problematische – Bedeutung als Anlauf in dieser Zeit sehen, wenn man sie historisch gerecht beurteilen will. Den Maßstab ergibt einerseits der zeitgenössische französische Realismus, anderseits die Hauptlinie der herrschenden bürgerlichen Literatur des damaligen Deutschlands, die wir ausgedrückt finden bei dem einflußreichsten Kritiker und Literaturhistoriker der fünfziger Jahre, bei Julian Schmidt, dessen Unwissenheit und Geschmacklosigkeit zwei sonst so entgegengesetzte Schriftsteller wie Hebbel und Lassalle entlarvt haben. Schmidt erklärt in seiner Kritik der Gutzkowschen Romane: »Die Zeit ist besser als ihr Ruf.« Worin besteht nun nach Schmidt das Gute der Gegenwart? »Die demokratische Tendenz, die Entscheidung der politischen Angelegenheiten in die Hand der Masse zu legen, wird immer mehr in den Hintergrund treten ...« Dieser in damaligen liberalen Kreisen populären Auffassung entspricht ein überlegenes Herabblicken auf die Zeit der Klassiker: »Den Dichtern der klassischen Zeit konnte man es nicht verargen, wenn sie mit gänzlicher Nichtachtung der sogenannten Philister, das heißt des wirklichen Lebens, die Kunst in das Reich der Schatten flüchteten.« Erst von hier aus ist zu verstehen, warum für Schmidt Gustav Freytag der repräsentative Dichter der Zeit wurde, was seine berühmte Parole bedeutet, daß der deutsche Schriftsteller das Volk bei der Arbeit aufzusuchen habe.

Die Schmidtschen Forderungen an eine moderne deutsche Literatur finden ihre Erfüllung in Freytags »Soll und Haben«. Freytag ist freilich bei allen seinen Schwächen etwas ganz anderes als sein Kritiker. Er gehört durchaus zu den charaktervollsten Erscheinungen, die im damaligen deutschen Liberalismus möglich waren. Er ist nicht ohne literarische Kultur. Die Verbindung mit den alten Zeiten ist in ihm weitaus lebendiger, er ist ein gründlicher Kenner der deutschen Geschichte; er ist sogar fähig, bedeutende Zeitgenossen wie Dickens auf sich wirken zu lassen. Trotzdem ist seine Zusammengehörigkeit mit Julian Schmidt nicht zufällig. Bei Schmidt sinken die deutsche Kritik und Literaturgeschichte in einen unwahrscheinlichen Tiefstand; sie werden kulturlos, was sie selbst bei den ärgsten romantischen Reaktionären nicht waren. Und obwohl Freytag nicht ohne historische und literarische Kultur ist, ist der Bruch mit der großen Entwicklung der deutschen Literatur gerade bei ihm am deutlichsten. Er stellt am wirksamsten den deutschen Philister in den Mittelpunkt einer verklärenden Darstellung, und zwar nicht den ins Spießertum herabgesunkenen Romantiker, sondern den wirklichen, massenhaften, ordinären, fleißigen, unterwürfigen, bei aller liberalen

Gesinnung vor dem Adel katzbuckelnden deutschen Philister. Was für Goethe ein »hohler Darm« war, ist für Freytag die Goldgrube der Poesie geworden.

Mit Freytag lenkt das Gutzkowsche Mißlingen in volkstümlich deutsche Bahnen. Es lohnt sich nicht, hier Namen und Richtungen aufzuzählen. Spielhagen steht dem universalistisch modernen Streben Gutzkows näher als die meisten seiner Zeitgenossen, ist als gesellschaftskritischer Realist radikaler als Freytag; aber weder sozial noch ästhetisch ist die Grundlage seines Realismus stark genug, um ein immer stärkeres Sinken, parallel mit der »Erfüllung« der Zeit, um 1870 und nachher zu verhindern. Und das, was dem deutschen Bürger nach den Siegen des Reiches angemessen war, ist schlechteste Unterhaltungsliteratur oder uninteressanter Sensationsroman à la Paul Lindau.

Bei Gutzkow und Freytag ist der Bruch mit den klassischen Überlieferungen unterstrichen. Das ist ein Zeichen der Zeit. Freilich ist dies keineswegs allgemein bewußt; im Gegenteil: erst in diesen Jahrzehnten setzt der eigentliche Kultus der deutschen Klassiker, vor allem Goethes, ein. Jedoch gerade diese Begeisterung offenbart den trennenden Abgrund, denn sie ist rein akademisch. Wenn Friedrich Schlegel, Wolfgang Menzel, Börne und andere Goethe von den verschiedensten Seiten und zumeist gleich unvernünftig bekämpften, kam in alledem doch zum Ausdruck, daß es sich um eine lebendige literarische Macht handelt, während die begeistertsten Lobeserhebungen dieser Zeit immer unverbindlich für die Gegenwart bleiben. Jetzt erst ist die deutsche Klassik Vergangenheit geworden, und zwar eine, die bereits aufgehört hat, eine wirkende Kraft des Tages zu sein. Thomas Mann hat eine Rundfrage darüber, ob Schiller noch lebendig sei, richtig als echt deutsch bezeichnet, denn

»kein Franzose würde darauf kommen, sich und andere zu fragen, ob Racine und Corneille ›noch lebendig‹ seien«.

Dem Akademismus in der Wissenschaft entspricht das Epigonentum in der Poesie. Das antike Schönheitsideal der deutschen Klassik litt von vornherein an der Schwäche, daß in ihr der Polisbürger weniger zu Worte kam, weniger nicht nur als in der Antike, sondern weniger auch als in ihren romanischen oder slawischen Renaissancen. Platen ist hier eine einsame Ausnahme, und es ist eine Tragikomödie der Literaturgeschichte, daß Geibel, das Haupt des lyrischen Epigonentums, in allen formalen Fragen sich unmittelbar an ihn anschließt. Man pflegt Geibel und seinen Münchener Kreis mit dem französischen »Parnasse« zu vergleichen. Mit Unrecht, denn man übersieht dabei, eine wie leidenschaftliche, wenn auch nicht politische, so doch kulturelle Opposition, die zuweilen ins Gesellschaftliche umschlug, hinter der »impassibilité« ihrer besten Vertreter stak. Das deutsche Epigonentum der Klassik hat ebenso die angeblich fehlende Teilnahme ihrer Vorbilder an den großen Fragen des Tages parodiert, wie der akademische Goethe-Kultus die historische Wahrheit in dieser Richtung verfälscht hat. Eine bescheidene subjektive Echtheit der besten unter den poetischen Akademikern kommt dann und wann in elegischen Selbsterkenntnissen zum Ausdruck, so in Geibels »Bildhauer des Hadrian«:

Wohl bänd'gen wir den Stein und küren,
Bewußt berechnend, jede Zier –
Doch, wie wir glatt den Meißel führen,
Nur vom Vergangnen zehren wir.
O trostlos kluges Auserlesen,
Dabei kein Blitz die Brust durchzückt!
Was schön wird, ist schon dagewesen,
Und nachgeahmt ist, was uns glückt.

Gibt es in dieser deutschen Literatur von 1850 bis 1890 keine wirkliche Opposition? So merkwürdig es klingt – eine ausgesprochene Oppositionsliteratur, die schriftstellerisch ernst zu nehmen wäre, gibt es kaum. Die nie allzu starke demokratische Strömung der Vorrevolutionszeit hat keinen Nachwuchs an echten Begabungen hervorgebracht, und selbst die noch keinswegs alten Vertreter der vorrevolutionären Periode sind ganz oder fast verstummt, so Freiligrath und Herwegh. Nur Heines Gedichte aus der »Matratzengruft« lassen eine mächtige, freilich tief verzweifelte Oppositionsstimme hören. Wie politisch das kleine Häuflein von Demokraten um Johann Jacoby immer kleiner und einflußloser wurde, so auf allen Gebieten der Literatur.

Es wäre jedoch falsch, wenn man das Fehlen der Opposition so deuten würde, als herrsche überall die größte Zufriedenheit mit der Entwicklung Deutschlands. Ganz im Gegenteil: sehr weite Kreise der deutschen Bevölkerung erlebten nach der Niederlage der Achtundvierziger Revolution eine tiefe Depression. Ihre politisch-soziale Hoffnungslosigkeit drückte sich geradezu weltanschaulich aus. Die breite Massenwirkung der Philosophie Schopenhauers ist ebenso ein Ausdruck dieser Bewegung, wie der Einfluß des vulgären Materialismus auf gleichfalls weite Kreise des Bürgertums dessen wirtschaftlichen Aufschwung ideologisch spiegelte.

Beide Bewegungen, wie auch der in der zweiten Hälfte unserer Periode aufkommende (zumeist neukantianische) Positivismus bedeuten dem Wesen nach einen Bruch mit der weltanschaulichen Entwicklung der Zeit vor Achtundvierzig. Wohl ist die klassische deutsche Philosophie schon unmittelbar nach der Julirevolution zusammengebrochen. Aber die Auflösung des Hegelianismus bedeutete in dieser Hinsicht doch keinen völligen Bruch der historischen Folge. Der Auflösungsvorgang ging ursprünglich darauf aus, die vom Hegelschen System unterdrückte und entstellte Fortschrittlichkeit der dialektischen Methode freizustellen. Die aus dem Auflösungsprozeß herauswachsende materialistische Weltanschauung brach zwar in den entscheidenden philosophischen Fragen schroff mit dem Hegelschen System, in den großen Weltanschauungsproblemen wurde jedoch dabei alles wirklich Wertvolle der klassischen deutschen Philosophie auf eine höhere Stufe des Fortschritts erhoben.

Ganz anders steht es mit dem Bruch nach 1848. Er bezieht sich vor allem auf das fortschrittlichste Element der klassischen Philosophie, auf die Dialektik, die von allen diesen sonst so verschiedenen und einander bekämpfenden Richtungen einmütig zum alten Eisen geworfen wurde. Im deutschen Materialismus und Positivismus herrschte ein so vulgärer Fortschrittsbegriff, daß mit seiner Hilfe die Konservierung der deutschen Misere im verpreußten Reich durchweg optimistisch aufgefaßt werden konnte. Schopenhauer seinerseits reinigte den romantischen Obskurantismus von allen seinen philosophischen Beziehungen zur Nachfolge Kants, bekämpft jede Konzeption von Fortschritt und Geschichtlichkeit, führte in modernisierter Form die romantische Vorliebe für Krankheit, Tod und Verwesung zum Siege, gab der deutsch-spießbürgerlichen Abkehr vom öffentlichen Leben die hochmütige Allüre eines Über-den-Dingen-Stehens. Da der Marxismus – meistens in einer mehr als vereinfachten, oft geradezu entstellten Form – erst in den sechziger bis siebziger Jahren eine verhältnismäßig kleine Vorhut der Arbeiterklasse zu erfassen begann, da Feuerbach vollkommen verschollen war und Hegel als »toter Hund« behandelt wurde, fehlte für die vorhandenen Strömungen des Unbehagens, der geistigen Auflehnung jede weltanschauliche Stütze. Die noch vorhandenen Reste der demokratischen Opposition waren demgemäß auch weltanschaulich isoliert.

So nimmt das Unbehagen der Schriftsteller meist den Charakter einer Flucht aus der Wirklichkeit an, einer Flucht in die Vergangenheit oder einer Flucht ins individualistische Sonderlingstum. Es ist sicher kein Zufall, daß die Realisten der Zeit von wirklicher Begabung und Gewicht auch geographisch abseitige Gestalten waren, so der Holsteiner Theodor Storm, der Schweizer Conrad Ferdinand Meyer. Wenn man in Deutschland von einer Parallele zu den bedeutenden l'art-pour-l'art-Bewegungen des Westens sprechen kann, so nur bei diesen Schriftstellern, deren künstlerische Formgebung einerseits ein echtes, starkes und originelles ästhetisches Pathos hat, die anderseits aus tiefer Unzufriedenheit mit der kleinlichen Häßlichkeit der Gegenwart sich ein »Reich der Schatten« errichten, welches eben deshalb geistig und formell nicht nur epigonenhafte Züge trägt, sondern auch solche, die in die literarische Zukunft weisen.

In Meyers Entwicklung ist die Enttäuschung deutlich sichtbar. Sein Hutten-Gedichtzyklus (1871), sein erster großer historischer Roman »Jürg Jenatsch« (1876) sind geistig wie thematisch mit der aktuellen deutschen Entwicklung eng verknüpft, behandeln in historischer Form moralische Probleme der Gegenwart. Später wendet sich Meyer von der Gegenwart immer schroffer ab. Eine neue, von vielen reaktionär-romantischen Motiven durchsetzte Auffassung der Renaissance, eine romantisch-mystische Konzeption des in der historischen Welt notwendig einsam und unverstanden wandelnden echten und großen Menschen bilden die Grundlage zu einer Gestaltung der geschichtlichen Wirklichkeit, die bei aller malerischen Lebensfülle einzelner Szenen, bei aller Tiefe der individuellen Psychologie gerade das Geschichtliche an der Geschichte vernichtet.

Theodor Storms Flucht in die Vergangenheit ist weicher, lyrischer, stimmungshafter. In seiner Lyrik und Novellistik ist die Zwiespältigkeit der deutschen Entwicklung der zweiten Hälfte des neunzehnten Jahrhunderts aufs deutlichste erkennbar. Im individuellen Gemütsleben die Gestaltung durchaus moderner Menschen, eine Stimmungskunst, die manches von den Werken der späteren Skandinavier vorwegnimmt; im Gehalt erscheint dagegen der Provinzmensch aus einem politisch und sozial zurückgebliebenen Lande. Storm hat selbst diese seine dichterische Eigenheit und seine Stellung in der Literatur klar erkannt. Er schreibt über sich selbst: »Zur Klassizität (gehört) doch wohl, daß in den Werken eines Dichters der wesentliche geistige Gehalt seiner Zeit in künstlerisch vollendeter Form abgespiegelt ist ... und ich werde mich jedenfalls mit einer Seitenloge begnügen müssen.« Die Erinnerungslyrik seiner Novellen ist die Rettung des nackten Lebens aus einem Schiffbruch.

Mit solchen Stimmungen hängt auch das Wiederaufkommen des Humors in der deutschen Literatur zusammen. Sozial bewegt sich der deutsche Humor dieser Zeit zwischen den Polen einer tief verzweifelten Lebensstimmung und einer angeblich reifen und verklärten Abfindung mit der Armseligkeit der deutschen Entwicklung. Gottfried Keller hat die hier entstehende Gefahr für die deutsche Literatur schon nach der Niederlage der Revolution gesehen. Er meint, ein Volksschriftsteller dürfe nicht im Stile von Sterne oder Jean Paul schreiben, und fügt hinzu: »Es war eine unglückselige und trübe Zeit, wo man bei ihr Trost holen mußte, und verhüten die Götter, daß sie ... noch einmal aufblühe.« Den Pol ehrlicher Verzweiflung trifft Wilhelm Busch mit folgenden Versen:

Es sitzt ein Vogel auf dem Leim,
Er flattert sehr und kann nicht heim.
Ein schwarzer Kater schleicht herzu,
Die Krallen scharf, die Augen gluh.
Am Baum hinauf und immer höher
Kommt er dem armen Vogel näher.

Der Vogel denkt: Weil das so ist
Und weil mich doch der Kater frißt,
So will ich keine Zeit verlieren,
Will noch ein wenig quinquilieren
Und lustig pfeifen wie zuvor.
Der Vogel, scheint mir, hat Humor.

Auch hier ist, so allgemein menschlich der Ton gehalten ist, das Deutsch-Spießbürgerliche stark fühlbar. Aber Wilhelm Busch ist ein leidenschaftlicher Gegner des Spießertums, während der Humor des anderen Pols gerade dessen humoristische Verklärung betreibt. Der berühmte Ästhetiker F. Th. Vischer hat mit seinem Roman »Auch einer« und dessen theoretischer Verteidigung am klarsten diese Absicht verfolgt. Die allen offenkundigen, die Besten niederdrückenden Widersprüche des deutschen Lebens erhalten in dieser ästhetischen Metaphysik des Humors folgende Gestalt: »Ich führe die sogenannten kleinen Übel des Lebens auf, um die Pein halb komisch, halb tragisch, halb in Gelächter, halb in Mitleid mit Menschenschicksal aufzulösen ... Ich behaupte: die Plackerei mit dem Kleinen, das uns sehr in den Weg fährt, ist ein allgemein menschliches Leiden, das schnurgerade auf die furchtbare Wahrheit führt, daß der Geist, der Sohn des Himmels, in den Staubleib, in das rohe Gepuff der Körperwelt gebannt ist!« Die konkrete, historisch-politisch-soziale Armseligkeit Deutschlands wird damit humoristisch zum »ewigen« Gegensatz von Ideal und Wirklichkeit, von Geist und Leib sublimiert. Wie Vischers Theorie von der »Tragik« der Gegenrevolution die historische Notwendigkeit des Fortschritts ersticken mußte, so predigt auch seine Theorie des Humors eine Versöhnung mit dem Spießertum im deutschen Elend.

Fritz Reuter, vielleicht das größte, jedenfalls das urwüchsigste humoristische Talent Deutschlands in der zweiten Hälfte des neunzehnten Jahrhunderts, bewegt sich zwischen beiden Polen, nur daß bei ihm die Versöhnung gemütlicher, spontaner, nicht ins Weltanschauliche vertieft, also ungefährlicher, vorhanden ist. Sie ist aber da. Man mag es menschlich schön finden, daß Reuter, an dem bei den Demagogenverfolgungen ein schändliches Justizverbrechen verübt wurde, in seiner »Festungstid« fast nur gemütlich-humoristische Farben zur Schilderung dieser schauerlichen Zeit grausamster Seelenschinderei findet; er vernichtet aber damit in sich den großen weltanschaulichen Hintergrund, der den Werken der alten Humoristen ihre Tiefe gab. In seinem bedeutendsten Werk (»Ut mine Stromtid«) verdeckt die hinreißend sinnliche Lebensechtheit der Hauptfiguren und der komischen Situationen diesen Mangel. Er ist aber auch in diesem Werke da und bewirkt, daß manches, was der Anlage nach bedeutend humoristisch sein könnte, ins bloß Ulkig-Lächerliche oder Sentimentale hinabgleitet. Die beispiellose Volkstümlichkeit des Werkes, durch die es wirklich zu einem deutschen Volksbuch wurde, ist also – vom Standpunkt der ideologischen Entwicklung aus gesehen – eine zweiseitige und recht zwiespältige Tatsache.

Bei Wilhelm Raabe fehlt das Kompromiß, sowohl das gemütliche wie das grundsätzlich weltanschauliche. Sein Humor erwächst aus einer tiefen politisch-sozialen Verzweiflung. Er sieht das unaufhaltsame Emporkommen des neuen Deutschlands, sowohl des kapitalistischen wie des hohenzollerisch verpreußten; er sieht klarer als viele seiner Zeitgenossen, daß dabei alle seelischen, geistigen und moralischen Werte des alten Deutschlands zwangsläufig zugrunde gehen. Raabe will sich nicht blind und stur der Entwicklung entgegenwerfen; er ist kein romantischer Reaktionär, hat aber, trotz urwüchsig demokratischer Gefühle, keine Ahnung, wie man dem deutschen Schicksalsweg eine neue Wendung geben könnte. Auf dem Boden dieser Ratlosigkeit entsteht sein Humor. Er ist die traurig-ergreifende, lyrisch-groteske Komik der Don Quijotes der alten deutschen Humanität im Kampfe mit den alles niedertrampelnden Herden des neupreußisch-kapitalistischen, selbstzufrieden aufgedunsenen Spießertums. Echte Menschlichkeit findet hier ebensowenig Luft zum Atmen wie früher im kleinlich zerstückelten Deutschland. Raabes Helden sind daher ausnahmslos äußerlich oder innerlich Deklassierte: Soldaten der Befreiungskriege, die, über ihre Folgen verzweifelt, internationale Kämpfer für die Freiheit in Polenaufständen, in Südamerika werden, oder Sonderlinge, die in irgendeine Sonderlichkeit geflüchtet sind, um das neue Leben überhaupt ertragen zu können. Indem Raabe nicht nur das Lächerliche am selbstgefälligen Spießertum des kleinen und des vergrößerten Deutschlands sieht, sondern zugleich das Komische – spießerhaft Komische – der Flucht seiner geliebtesten Gestalten ins Sonderlingstum, wird er zu einem echten Humoristen.

Der Roman ist die Gattung, die der entwickelten bürgerlichen Gesellschaft am meisten entspricht; seine Originalität, Gestaltungshöhe und Gehaltstiefe sind der beste Gradmesser für die moderne literarische Entwicklung. Nun haben wir im neuen Deutschland zwei Linien gesehen. Die eine will, wie der französische Roman, vom gesellschaftlich-geistigen Mittelpunkt aus die soziale Ganzheit gestalten. Sie sinkt in Deutschland von der nicht allzu beträchtlichen und durchaus fragwürdigen Höhe der Gutzkowschen Versuche bis zum schlechten Unterhaltungsroman der Berliner Literaten in den achtziger Jahren herab. Die andere zeigt das Bestreben, aus der deutschen provinziellen Enge einen Weg zur Universalität zu bahnen. An ihrem Anfang steht die tiefe Problematik Immermanns, an ihrem Ende die nicht minder tiefe Problematik Raabes. Wenn man ergänzend hinzufügt, daß es seit Hebbels und Wagners Tod kein deutsches Drama von künstlerischer Bedeutung gibt (denn das sogenannte deutsche Gesellschaftsstück oder die historische Dramatik von Wildenbruch kommen literarisch nicht in Frage) und daß die deutsche Lyrik, wenn man von Abseitsstehenden, wie Meyer und Storm, absieht, rein epigonenhaft geworden ist, so vollendet sich das Bild des Niedergangs, der nach 1848 begann und nach der Reichsgründung ganz große Ausmaße annahm.

In dieser ganzen Zeit lebt nur ein Schriftsteller deutscher Zunge, an dessen Werk keine der vielgestaltigen Widerwärtigkeiten der deutschen Entwicklung seit 1848 auch nur heranreichen kann, ein volkstümlicher Klassiker der demokratischen Weltanschauung, in dem die besten Überlieferungen des Goetheschen Realismus zu neuem, zeitgemäßem Leben erwacht sind, dessen Gehalt und Formgebung auf der Höhe der besten zeitgenössischen Weltliteratur steht: Gottfried Keller.

Seit langer Zeit sieht die deutsche Literaturgeschichte in Keller die dichterische Hauptstadt der zweiten Hälfte des neunzehnten Jahrhunderts. Sie übersieht oder verschweigt aber, daß diese Feststellung kein Gegengewicht gegen den literarischen Niedergang seit 1848 bildet, sondern dessen Tiefenbewegung nur noch klarer aufweist. Kellers Größe ist der brennendste Vorwurf, den die entwürdigte Literatur gegen den Entwicklungsweg der deutschen Nation erheben kann.

Denn – trotz seiner wichtigen schweizerischen Wurzeln – ist der Werdegang des Schriftstellers Keller bis 1848 typisch deutsch. Er geht den Weg von Jean Paul zu Goethe, er wetteifert mit der deutschen politischen Lyrik der vierziger Jahre und bildet sich an ihr; vor allem aber bestimmt die letzte Gipfelgestalt der bürgerlichen Philosophie in Deutschland, Ludwig Feuerbach, seine Weltanschauung. Wenn er aber unmittelbar nach der Niederlage der Revolution in Berlin lebt, so ist sein Aufenthalt bereits ein Emigrantendasein. Seine Rückkehr nach Zürich ist keine Flucht in eine provinziell-idyllische Enge (wie bei Storm oder Raabe), sondern der antäushafte Kraftaufschwung durch die Berührung mit der Schweizer Demokratie, die ihm nicht nur die Stoffe gibt, sondern auch die seelische Möglichkeit zum Citoyen-Pathos, zur plebejisch-demokratischen Weiterführung der dichterischen Probleme des klassischen deutschen Humanismus. Ist also hier in deutscher Sprache etwas entstanden, was man an Flaubert oder Dickens, an Turgenjew oder Tolstoi messen kann, so muß man sich stets dessen bewußt sein, daß Keller, um seine schriftstellerischen Möglichkeiten zu entfalten, nicht nur geographisch-politisch außerhalb Deutschlands leben mußte, sondern auch mit dessen ganzer weltanschaulicher und literarischer Entwicklung seit 1848 brechen mußte. Sein – schweizerisches – Werk zeigt, was aus der deutschen Literatur hätte werden können, wenn 1848 die demokratische Revolution gesiegt hätte; sie hätte auch den Sieg über die ideologischen Krankheiten des deutschen Geistes und damit der deutschen Literatur bedeutet. Freilich hätte dieser Sieg weite

Verbreitung jener Erkenntnisse über die deutsche Misere vorausgesetzt, die vor der Revolution nur in einigen Spitzengestalten und nach ihr nur in Gottfried Keller literarisch lebendig waren. Thomas Mann hat den bei Keller wirksam und fruchtbar gewordenen Gegensatz zwischen deutscher und Schweizer Entwicklung klar gesehen:

»Vor unseren Augen lebt eine Spielart deutschen Volkstums, die, vom Hauptstamm politisch frühzeitig getrennt, seine geistigen, sittlichen Schicksale nur bis zu einem gewissen Grade geteilt, die Fühlung mit westeuropäischem Denken niemals verloren und die Entartung des Romantismus, die uns zu Einsamen und outlaws machte, nicht miterlebt hat ... Das ist eine Krankheit, die sie nicht gehabt haben ... Eines aber jedenfalls kann der Anblick des Schweizer Wesens uns lehren: Eine Stufe des deutschen Schicksalsganges, die irrend zu überschreiten war, nicht mit dem Deutschtum selbst ... zu verwechseln.«

Nur in einem solchen Zusammenhang darf Keller als Gipfelgestalt der deutschen Literatur gefaßt werden: als Mahnung und Vorwurf – als lockendes Ziel im Falle einer völligen Umkehr des deutschen Volkes.

II

Deutsche Literatur im Zeitalter des Imperialismus - Eine Übersicht ihrer Hauptströmungen

Es ist allgemein anerkannt, daß die deutsche Literatur um 1890 in eine neue Periode eintrat. Der Gegensatz zu dem tiefen Niedergang seit der Reichsgründung ist viel zu stark, als daß diese Tatsache sich verdecken ließe. Er war sogar für die unmittelbaren Zeitgenossen fühlbar, und seitdem behandelt fast jede Literaturgeschichte diesen Abschnitt als eine eigene Periode. Auch das Zusammenfallen dieser neuen Epoche der deutschen Literatur mit dem Beginn des imperialistischen Zeitalters drängte sich zu sehr auf, um selbst jenen Betrachtern ganz verborgen zu bleiben, die nur von engen ästhetischen Gesichtspunkten ausgingen. Die nachfolgenden Betrachtungen unterscheiden sich von früheren darin, daß sie hierin nicht nur ein zeitliches Zusammenfallen, nicht eine geistesgeschichtliche Parallelität (etwa zwischen Literatur und allgemeiner »Mentalität« des Imperialismus) erblicken. In Ökonomie und Politik des deutschen Imperialismus sehen sie die gesellschaftliche Grundlage, die letzthin – freilich nur letzthin, unter Einschaltung vieler Zwischenglieder – wirkende Ursache der literarischen Tendenzen und Erscheinungen.

Nur eine solche Darstellungsweise ist nach meiner Auffassung wahrhaft wissenschaftlich, nur mit ihrer Hilfe können die treibenden Kräfte der literarischen Bewegung, nicht die in Ateliers und Cafés ausgeklügelten »Richtungen«, ans Tageslicht treten und in ihrem Wesen begriffen werden. Heute aber ergibt sich die dringende Notwendigkeit, die deutsche Literatur des imperialistischen Zeitalters von diesem Standpunkt aus zu überschauen.

Die Zukunftsverantwortung der deutschen Literatur ist groß: es geht um die Erweckung der Seele des deutschen Volkes zu neuem Leben. Die Aufgabe ist noch größer als nach dem Dreißigjährigen Krieg: das deutsche Volk war damals ein Opfer, wenn auch nicht ohne Mitschuld; jetzt ist es völlig durch eigene Schuld dem Verderben ausgesetzt. Es geht in seinen Zusammenbruch mit schrecklich verzerrtem innerem Antlitz. Wenn diese Verzerrung weicht, wird die Literatur hierbei eine bedeutsame Rolle spielen.

Aus dieser Aufgabe folgt eine unerbittliche Abrechnung mit dem Vergangenen, eine streng kritische Sichtung der in ihm lebendigen Kräfte. Von der Weltenwende dieses Krieges fällt ein neues Licht auf die gesamte deutsche Vergangenheit, vor allem jedoch auf die Periode an der Grenze der Gegenwart, das imperialistische Zeitalter.

Aus der Bestimmung von Grundlage und Methode der Forschung ergibt sich von selbst der Maßstab der Beurteilung. Der größte Teil der bisherigen Darstellungen und Bewertungen deutscher Literatur im allgemeinen und der imperialistischen Periode im besonderen leidet – wenn sie überhaupt auf die Analyse der gesellschaftlichen Bedingungen eingehen – unter einem Dualismus der sozialen und der ästhetischen Gesichtspunkte. Es werden einerseits gewisse – oft sehr oberflächlich erfaßte – gesellschaftliche Momente hervorgehoben, andererseits jedoch wird die künstlerische Einschätzung unter Verzicht auf fast jegliche soziale Analyse vorgenommen auf Grund subjektiver Geschmacksurteile. Es entsteht eine Betrachtungsweise, die mit der Prätention der feinsten Empfänglichkeit auftritt, aber am tiefsten Sinn der künstlerischen Prinzipien achtlos vorbeigeht. Tolstoi, der sein Leben lang eine solche Auffassung der Kunst, des künstlerischen Talents bekämpfte, verspottet sie in seiner »Anna Karenina« als die spezifisch-charakteristische Haltung der Dilettanten. Er sagt dort über den Hofoffizier

Wronski und seinesgleichen: »Das Wort Talent, worunter sie die angeborene, von Geist und Herz völlig unabhängige, nahezu physische Begabung verstanden und womit sie alles bezeichnen wollten, was der Künstler innerlich erlebt, kam in ihrem Gespräch besonders oft vor, denn sie brauchen es, um etwas zu bezeichnen, wovon sie keine Vorstellung hatten, worüber sie aber reden wollten.«

Wenn also in unserer Betrachtung der Maßstab Wronskis verworfen wird, wenn wir auf jene gesellschaftliche und geschichtliche Mission zurückgreifen, die die große Literatur – freilich nur diese – in allen Zeiten erfüllt hat, so nähern wir uns den wirklichen Maßstäben für die echte Dichtung mehr an, als das irgendein Ästhetizismus, irgendeine artistische Feinschmeckerei vermöchte.

Dieser Maßstab ist zu allen Zeiten mit der Beziehung zum Volk, zu seinen Bestrebungen, Wünschen und Leiden eng verknüpft. Insbesondere im Zeitalter des Imperialismus, in dem der Gang der sozialen Entwicklung einerseits neue Formen der Unterdrückung und Irreführung des Volkes, seiner Mobilisierung zum Kanonenfutter der Aggressionskriege hervorbringt und andererseits das Volk auf verschiedenen neuen Wegen jene neuen Lebensformen sucht, die seinen wahren Interessen entsprechen können. Hier hat – vor allem in der Frage der gesellschaftlichen und menschlichen Orientierung, in der Gestaltung der zukunftsträchtigen und gefahrdrohenden Menschentypen – die große Literatur eine gewaltige historische Mission: sie ist die Vorkämpferin der wahren Volkstümlichkeit, der echten Demokratie. Von Walt Whitman bis Anatole France, von Ibsen bis Shaw, von Tolstoi bis Gorki haben die führenden Schriftsteller der freiheitsliebenden Völker auch im imperialistischen Zeitalter dieser ihrer Sendung sich unterzogen.

Wie aber steht es um Deutschland? Man soll den unzweifelhaft vorhandenen, für die deutsche Literatur äußerst ungünstigen Kontrast, der sich hier ergibt, nicht mechanisch überspannen. Man darf ihn aber auch nicht verwischen, denn damit versperrt man den Weg für einen zukünftigen Aufschwung der deutschen Literatur, den Weg ihrer kommenden Größe, der Möglichkeit, daß sie ihre nationale Sendung, die Erneuerung der Seele des deutschen Volkes nach über einem Jahrzehnt hitlerischer Entstellung wirklich erfülle.

Es ist also nur gerecht, wenn die deutsche Literatur an jenem Maßstabe gemessen wird, den wir den Taten entnehmen, die die Literatur der freien Völker geleistet hat. Dabei wird die tiefe innere Verbundenheit echter Freiheit, wahrer Volkstümlichkeit, politischer und sozialer Demokratie und großer Kunst deutlich zum Vorschein kommen.

Theorie und Praxis der deutschen Literatur im Zeitalter des Imperialismus liefern unzählige Beispiele dafür, wie sie sich selbst den Zugang zu den höchsten ästhetischen Werten verbaut haben. Ich führe nur einen charakteristischen Fall an. Shakespeares künstlerisches Glaubensbekenntnis in der Schauspielerszene des »Hamlet« ist bekannt. Er spricht hier über die Aufgabe des Dramas (und meint selbstverständlich jede bedeutende Literatur). Sie besteht, wie er sagt, darin, »der Natur gleichsam den Spiegel vorzuhalten: der Tugend ihre eignen Züge, der Schmach ihr eignes Bild und dem Jahrhundert und Körper der Zeit den Abdruck seiner Gestalt zu zeigen«. Es ist nun lehrreich, zu sehen, daß der dichterisch keineswegs unbegabte Erzähler Wilhelm Schäfer einen großen Essay zur Widerlegung der »Doppelzüngigkeit des Dänenprinzen« geschrieben hat. Er versucht darin nachzuweisen, daß die zitierte Anschauung Shakespeares »nicht nur verdächtig, sondern falsch und gefährlich, in ihrer

Absicht kunst- und lebensfeindlich ist«. Die Widerlegung Schäfers läuft auf der bereits unsäglich banal gewordenen Linie der Identifizierung der künstlerischen Widerspiegelung der Wirklichkeit (der Praxis der großen Literatur von Homer bis in unsere Tage) mit einer naturalistischen Photokopie des Alltags. Bedeutsamer und symptomatischer ist seine Schlußfolgerung, worin er die Besorgnis äußert, daß mit der Theorie Hamlets jene »Übertragung demokratischer Maximen auf das geistige Leben« vor sich gehe, »welcher Übertragung alle Kultur und gewiß die Dichtung zum Opfer fallen müßte«. Hier spricht ein Gegner den Zusammenhang zwischen großem – shakespearischem – Realismus und Demokratie so klar aus, wie auch seine überzeugtesten Verteidiger es selten taten.

Diese Konvergenz der künstlerischen Praxis des echten und großen Realismus mit den tiefsten menschlichen und moralischen Forderungen, mit Problemen des demokratischen Geistes ist für das Erhellen der deutschen Literaturentwicklung von besonderer Tragweite. Dabei unterstreichen wir die Worte künstlerische Praxis, denn diese allein ist für die Entstehung und die Wirkung eines solchen Realismus ausschlaggebend. Ob Walter Scott ein starrer Tory, Balzac ein ebenso schroffer Legitimist, Thomas Mann zeitweilig ein Verehrer Friedrichs des Großen war, hat sekundäre Bedeutung jener Gesellschaftskritik gegenüber, die wir aus »The Heart of Midlothian«, aus dem »Cabinet des antiques«, aus dem »Tod in Venedig« heraushören.

Darum dienen uns hier die Werke als Schlüssel zu den Persönlichkeiten der Schriftsteller und nicht gelegentliche Aussprüche und Bekenntnisse der Schriftsteller als Schlüssel zu ihren Werken; wenn auch freilich diese als Symptome von geistig-politischen oder ästhetischen Tendenzen unter Umständen große Bedeutung erlangen.

Es ist selbstverständlich, daß die Tatsache des Aufgipfelns des deutschen Imperialismus in der Hitler-Hölle unsere Betrachtung entscheidend bestimmt. Ohne rücksichtslos harte Auseinandersetzung mit dieser Tatsache, ohne unerbittliches Gericht über sie gibt es keine Erneuerung Deutschlands, keine Möglichkeit des Aufschwungs der deutschen Literatur. Wie der Hitlerismus der Endpunkt der bisherigen realen deutschen Entwicklung war, so muß die Kritik an ihm der Ausgangspunkt einer jeden Bewertung der deutschen Literatur im Zeitalter des Imperialismus sein.

Es wäre fehlerhaft, in der Hauptlinie der deutschen Literatur der imperialistischen Periode ausschließlich ein Vorläufertum des Faschismus zu sehen. Dennoch stellt uns gerade die Kürze dieses Abrisses die Aufgabe, jene Tendenzen der Vergangenheit, die auf die faschistische Zeit hinweisen – sei es durch eine dem Schriftsteller selbst unbewußte Enthüllung von Trieben und Anschauungen aus der später den Hitlerismus fundierenden sadistischen »Unterwelt«, sei es durch eine, ebenfalls oft nicht bewußte, vorausschauende Kritik der »deutschen Misere« –, besonders akzentuiert hervorzuheben. Dazu tritt ein scheinbar negatives oder neutrales Moment. Auch die Wehrlosigkeit selbst der intellektuell und moralisch besten Deutschen gegen das Gift des Hitlerfaschismus ist eine Mitschuld. Und die Literatur ist nicht nur ein Spiegelbild dieser Wehrlosigkeit gewesen, sondern zum Teil ein Instrument der Wehrlosmachung. Diese Zusammenhänge müssen rücksichtslos aufgedeckt werden, damit die deutsche Literatur ihre künftigen Aufgaben mit klarem Bewußtsein lösen kann.

Noch sei eine kurze methodologische Bemerkung über die Gedankenfolge dieses Abrisses gestattet. Wir wollen hier Entwicklungstendenzen darstellen und sind uns vollkommen bewußt, daß eine solche Darlegung problematisch sein muß, soweit sie die großen Dichter und ihr Werk betrifft. Nur durch Aufdeckung aller Wechselbeziehungen zwischen Zeit und Schriftsteller ist diese Problematik aufhellbar. Wo des Umfangs wegen diese notwendigen Details fehlen müssen, bleibt zwangsläufig eine solche Problematik bestehen, denn die Beweise des zentralen Zusammenhangs zwischen Entwicklungstendenzen und einzelnen Dichtern können nur durch Aufzeigen der individuellen und sozialen Voraussetzungen im einzelnen geführt werden. Nur dann erscheinen die führenden Schriftsteller überzeugend als Repräsentanten von Entwicklungstendenzen.

Wir werden hier nur von historisch entscheidenden literarischen Richtungen sprechen und auch nur von solchen Persönlichkeiten, aus denen sich diese literarischen Richtungen besonders prägnant erforschen lassen. In unserem Überblick muß selbst die Namensnennung mitunter bedeutender Schriftsteller unterbleiben, gar nicht zu reden von Schriftstellern, die nur durch breite äußere Erfolge allgemein bekannt geworden sind. Auch ging es uns darum, vor allem die spezifisch deutschen Züge der Literaturentwicklung im imperialistischen Zeitalter zu akzentuieren. So gibt es in allen imperialistischen Ländern ein ordinäre, reaktionäre, chauvinistisch hetzende Literatur. Darum ist die Linie Wildenbruch–Lauff–Beumelburg keine deutsche Spezialität. Ein spezifisch deutsches Problem dagegen ist die Betrachtung, wie sich der Kampf von Fortschritt und Reaktion in wirklich wertvollen, oft sogar fortschrittlich gesinnten Schriftstellern abspielt.

1

Der deutsche Naturalismus

Am Anfang der neueren deutschen Literatur steht eine merkwürdige Koinzidenz von literarischen und politischen Ereignissen: die Gründung der »Freien Bühne« und der Sturz Bismarcks. Ist ihre Verbindung eine chronologische Spielerei? Wohl kaum. Denn wir unternehmen sie nicht im Sinne eines unmittelbar kausalen Zusammenhangs, sondern weil wir glauben, daß dieselben politisch-sozialen Kräfte in beiden Geschehnissen – freilich durch viele Zufälle vermittelt – fast gleichzeitig zum Durchbruch kamen.

Das politische Ereignis ist von großer Bedeutung, obwohl diese keinem Zeitgenossen bewußt geworden ist. Es handelt sich um Deutschlands Eintritt in die imperialistische Epoche: der prahlerische Schwätzer Wilhelm II. triumphierte über den Schöpfer der deutschen Einheit, weil er mit all seinen Lastern ein Vertreter der neuen Periode war.

Die von Bismarck zur Gründung des Reiches entfesselte »Revolution von oben« hat aus Deutschland ein nach innen antidemokratisch, nach außen aggressionssüchtiges Land gemacht. Bismarck selbst hat freilich Deutschland für »saturiert« erklärt und persönlich nicht nach Angriffskriegen getrachtet. Doch schon die Annexion von Elsaß-Lothringen verwandelte den Verteidigungskrieg Deutschlands zur Herstellung seiner nationalen Einheit gegen Napoleon III. in eine verhängnisvolle Aggression. Und selbstverständlich mußte die antidemokratische innere Struktur des neuen Reiches, die unerschütterte Machtstellung des preußischen Junker-Militarismus, die Ausdehnung seiner Wirkungssphäre auf das ganze, sich mehr und mehr verpreußende Deutschland in diesem Sinne wirken. So kam beim Eintritt in das imperialistische Zeitalter die objektive, immanente Dialektik des Bismarckschen Reichs in einer für das deutsche Volk verhängnisvollen Weise gegen Bismarcks persönliche Meinung zur Geltung.

Das Zerreißen des »Rückversicherungspaktes« mit Rußland war, wenn auch unbewußt, wenn auch später oft bereut, wenn auch nie konsequent behandelt, der Anfang der deutschen imperialistischen Expansion in der Richtung auf den Balkan und Kleinasien, der erste Schritt zur – von Bismarck abgelehnten – imperialistischen Welteroberungspolitik. Deutschland hörte auf, ein »saturiertes« Land zu sein. Auch der Gegensatz zwischen Bismarck und dem jungen Kaiser in der Arbeiterfrage war nur tastend und unbewußt berührt, und die von Wilhelm gemachten Schritte auf dem Weg zu einer modernen sozialen Demagogie, der Versuch, die Arbeiterklasse mit dem deutschen Imperialismus zu versöhnen, wurden bald wieder aufgegeben. Wilhelm II. war nicht geeignet, irgend etwas folgerichtig durchzuführen. Sein Regime ist ein schillernder und schwankender rhetorischer Dilettantismus à la Friedrich Wilhelm IV. Aber der soziale Inhalt seiner Regierungszeit ist in diesem ersten Konflikt bereits enthalten. Die Ideologen der verschiedensten Schattierungen dieser Zeit, vom Revisionismus und von Friedrich Naumann bis zu Houston Stewart Chamberlain, arbeiten in dieser Richtung weiter.

Die achtziger Jahre bringen so die latente Krise des zweiten Kaiserreichs. Alle Klassen spüren ihren Druck. Die ideologische Ratlosigkeit hat schon lange vorher begonnen. Sie kam zum Ausdruck in dem klaffenden Widerspruch zwischen dem äußeren politischen Glanz des Reichs und dem ideologisch-künstlerischen Tiefstand Deutschlands seit der Reichsgründung. Aber in diesem Unbehagen, das sich in den achtziger Jahren zu einer heftigen, jedoch unklaren Gärung steigert, ist nirgends eine klare Bewußtheit des Zustandes, geschweige denn seiner Ursachen vorhanden. Das Sozialistengesetz hat den Bankerott des primitiven Bismarckschen Bonapartismus aufgezeigt. Der heroische Kampf der Arbeiterklasse in der Illegalität ließ sie vielen Unzufriedenen, die über die Reichsgründung und die ihr folgenden Gründerjahre mit ihren schweren wirtschaftlichen Krisen enttäuscht waren, als eine Art Messias erscheinen. In seinem »Emanuel Quint« beschreibt Gerhart Hauptmann diese Geistesverfassung:

»Man rechnete allen Ernstes mit einem gewaltigen, allgemeinen gesellschaftlichen Zusammenbruch, der spätestens um das Jahr Neunzehnhundert eintreten und die Welt erneuern sollte. Wie die armen ländlichen Professionisten, die den Spuren des Narren (des Helden von Hauptmanns Roman) gefolgt waren, auf das Tausendjährige Reich und auf das neue Zion hofften, so und nicht anders hofften die sozialistischen Kreise und diejenigen jugendlichen Intelligenzen, die ihrer Gesinnung nahestanden, auf die Verwirklichung des sozialistischen, sozialen und also idealen Zukunftsstaates ... Was bei dem einen diesen, dem anderen jenen Namen hatte, war im Grunde aus der gleichen Kraft und Sehnsucht der Seele nach Erlösung, Reinheit, Befreiung, Glück und überhaupt nach Vollkommenheit hervorgegangen: das gleiche nannten diese Sozialstaat, andere Freiheit, wieder andere Paradies, Tausendjähriges Reich oder Himmelreich.«

Aus solchen Gesinnungen erwächst auch der »Sozialismus« der jungen Schriftstellergeneration (Holz, Henckell, Hartleben, Paul Ernst, Wille, Bahr usw.). Erneuerung der Literatur ist in ihren Augen nur ein Teil der vollen Erneuerung des menschlichen Lebens. Darin liegt die allgemeine Bedeutung dieser literarischen Bewegung als Widerspiegelung der generellen Wirrnis und Unklarheit. Ihr »Sozialismus« ist nicht nur verschwommen, ethisch und religiös-messianisch, sondern vermischt sich ununterbrochen mit allerhand anderen unklar gärenden, vorwiegend reaktionären Tendenzen, die den Übergang des deutschen Kapitalismus zur imperialistischen Periode vorbereiten. Die Zeitschrift M. G. Conrads, »Die Gesellschaft«, kämpft für alle »Helden«: für Zola als Tacitus des zweiten Kaiserreichs, für Richard Wagner, Bismarck und Nietzsche usw.

Diese Gesamtstimmung macht es verständlich, daß das Fallen des Sozialistengesetzes und die Gründung der »Freien Bühne« (der Bühne und der Zeitschrift) Knotenpunkte der allgemein politischen und der spezifisch literarischen Bewegung geworden sind. Es ist bekannt, daß der Übergang zur Legalität in der Sozialdemokratie eine heftige Krise hervorgerufen hat, die mit dem Erfurter Programm zu einem – vorläufigen – Abschluß gelangte.

Das Erfurter Programm sollte der Arbeiterpartei jene Richtung geben, die ihr nach der heroischen Erprobung in der Zeit des Sozialistengesetzes als führender Partei des gesellschaftlichen Fortschritts in Deutschland zukam. An der Oberfläche wird dieses Problem gelöst. Die anarchistisch-messianische Revolte der »Jungen« verläuft im Sande, der erste Vorstoß des offenen Opportunismus (Vollmar) wird zurückgedrängt. Aber die wesentliche Aufgabe haben die deutschen Sozialdemokraten nicht verstanden, geschweige denn gelöst.

Friedrich Engels hat als getreuer Ekkehard der demokratischen Entwicklung Deutschlands diese Gefahr gesehen und eindringlich vor ihr gewarnt. »Das, was eigentlich gesagt werden sollte, steht nicht drin«, schreibt er einleitend in seiner Kritik des Programms. Ihr wesentlicher Inhalt ist die Kritik der undemokratischen Entwicklung Deutschlands, der Illusion, als ob ein solches Land in den Sozialismus hinüberwachsen könne. Als Folge dieser klaren Einsicht in die deutsche Lage kennzeichnet Engels die Aufgabe der Arbeiterpartei folgendermaßen: »Und wir haben nicht die 1866 und 1870 gemachte Revolution von oben wieder rückgängig zu machen, sondern ihr die nötige Ergänzung und Verbesserung zu geben durch eine Bewegung von unten.« Es ist also ein Programm der entschiedenen Demokratisierung Deutschlands, das Engels schon damals aufstellte, mit der Forderung, daß die Sozialdemokratie die Führerin dieser Bewegung werde. Und selbstverständlich begnügt Engels sich nicht mit einer formal-liberalen verwässerten Form der Demokratie, sondern stellt die wahre Demokratie von 1793 der dritten Republik als zu verfolgendes Ziel gegenüber. Der wirkliche Weg zum Sozialismus in Deutschland geht nach Engels nur über eine solche Demokratie. Diese Kritik aber ist nur von ganz wenigen begriffen oder befolgt worden.

Das weitgehende Unverständnis der Arbeiterpartei für das Problem der Demokratisierung Deutschlands ist ein Teil der deutschen Tragödie und wirkt seinerseits verhängnisvoll auf die spätere deutsche Entwicklung. Der Gang der deutschen Geschichte von der Niederlage der Achtundvierziger Revolution bis zur Reichsgründung hat den nie sehr starken bürgerlichen Demokratismus vernichtet. In der Bismarckschen Periode leben nur isoliert aussterbende letzte Mohikaner der deutschen Demokratie. Der demokratische Geist in Deutschland ist schwach, ohne nationale Tradition. Alle Unzufriedenen, die von der freiheitlichen Seite her zur Opposition gegen das herrschende

Regime drängen, müssen sich also an der einzig existierenden Opposition von unten, der Sozialdemokratie, orientieren. Da nun diese nicht fähig war, die konkreten Aufgaben der deutschen Demokratie klarzustellen, mußte der Marsch Deutschlands zu seinen imperialistischen Zielen ungehemmt beginnen. Es bestand eine große sozialdemokratische Partei, deren numerische Stärke ihrem politischen Einfluß nicht entsprach.

Um diese Zeit setzt zum erstenmal in der imperialistischen Periode die breite und tiefe Wirkung von Nietzsche ein. Es ist jene geistige Macht, die die junge Generation nicht nur vom Sozialismus, sondern zugleich von der Verteidigung des Fortschritts und der Freiheit, der Demokratie ablenkt.

Nietzsche ist vor allem der Denker, der verführerisch auch auf jene ehrlich gesinnten, fortschrittlich orientierten deutschen Intellektuellen im imperialistischen Zeitalter einwirkt. (Eine ähnliche Rolle hat in den Jahrzehnten nach der Niederlage der Achtundvierziger Revolution Schopenhauer gespielt.) In Nietzsche spiegeln sich alle antidemokratischen Tendenzen der imperialistischen Periode wider. Er ist auf geistigem Gebiet im Weltmaßstabe die führende Gestalt der Reaktion dieser Zeit. Und zwar nicht nur in seinen direkten Angriffen auf die Demokratie, sondern auch in seiner – an trefflichen Beobachtungen reichen – Psychologie, Ästhetik usw. Seine verderbliche Wirkung wird noch dadurch gesteigert, daß er sich als scharfer Kritiker der Kultur der Gegenwart gebärdet und hierin oft Beträchtliches leistet, daß seine ganze Philosophie sich in die Prätention und Attitüde »revolutionärer« Neuerung hüllt, sich als radikalen Bruch mit Vergangenheit und Gegenwart ausgibt.

Diese Eigenart von Nietzsches Philosophie bewirkt, daß die unklar suchende junge Intelligenz seiner Lehre oft in dem Glauben folgt, dadurch eine oppositionelle, wenn nicht gar revolutionäre Rolle zu spielen.

In der ganzen Periode, die hier betrachtet werden sollte, hört Nietzsche nicht auf, die Geister zu verwirren. In allen großen Krisen (z. B. erster Weltkrieg und Expressionismus) lenken seine Auffassungen über Individuum und Gesellschaft von den Problemen der Demokratie ab. Und sie erhalten später ein großes Gewicht bei jenen Intellektuellen, die in der Nachkriegszeit, infolge ihrer ideologischen Verworrenheit, auf eine Umgestaltung der Verhältnisse in Deutschland zustreben und dabei nicht wissen, wohin sie sich orientieren sollen, ob auf die wirkliche revolutionäre Umwälzung oder auf die radikal tuende soziale und nationale Demagogie der extremen Reaktion hin. Auch in verhältnismäßig ruhigen Zeitläufen wirken seine Psychologie, seine Moral, seine Ästhetik auf die Schriftsteller der verschiedensten Lager und Richtungen ein. Von Stefan George bis zu Heinrich und Thomas Mann ist dieser Einfluß Nietzsches überall spürbar. Darum waren diese Bemerkungen nötig, um die soziale Topographie der Bewegungen im deutschen Schrifttum klarer sichtbar zu machen.

Wir kehren nun in die neunziger Jahre zurück. Am Anfang dieser neuen Krise wird die »Freie Bühne« begründet. Ihre Bedeutung besteht darin, daß sie der ziellosen, zerfahrenen oppositionellen Literaturbewegung einen Halt gibt. So gewinnt diese eine scharf umrissene Physiognomie, ihre Wirkung geht über die literarischen Zirkel hinaus, erobert wenigstens die Leser in den größeren Städten und ändert sehr rasch das Gesicht der ganzen deutschen Literatur.

Aber auch das geschieht auf der Grundlage einer Abdrängung von der breiten, wenn auch verworrenen Fragestellung des »Sturmes und Dranges« der achtziger

Jahre. Aus der allgemeinen ideologischen Revolte wird eine »literarische Revolution«. Es ist das Verdienst von Holz und Schlaf, daß sie die Tendenz der Naturwahrheit, den Aufstand gegen die lebensferne Künstlichkeit der damals herrschenden Literatur theoretisch und praktisch auf eine Stilform brachten. Otto Brahm schafft für diese Literatur eine Bühne und ein leitendes Publikationsorgan. Gerhart Hauptmanns Werke geben der naturalistischen »literarischen Revolution« eine allgemein nationale Bedeutung.

Freilich nicht nur sie allein. Zugleich mit Hauptmann, unmittelbar nach ihm tritt eine Reihe begabter junger Schriftsteller auf den Plan. Ihr erfolgreiches Durchdringen ist der Sieg eines neuen Literaturprinzips, das Zeichen eines neuen Abschnittes in der deutschen Literatur. Nach einer Pause von Jahrzehnten entsteht in Deutschland wieder eine Literatur von internationaler Geltung. Freilich haben viele Schriftsteller aus der Zeit vor der Reichsgründung diesen Wendepunkt überlebt. (Gottfried Keller zwar ist 1890 gestorben, Gustav Freytag aber lebt bis 1895, C. F. Meyer bis 1898, Wilhelm Raabe sogar bis 1911.) Ihre wesentlichen Werke aber wurzeln in einer lange vergangenen Periode, und auch wo sie Großes schaffen, können sie der Niedergangszeit von 1870 bis 1890 kein positives Gepräge geben, eben weil sie in ihrem Innern dieser Zeit ganz fremd bleiben. Zum neuen Aufschwung der Literatur führen von ihnen aus erst recht keine direkten Verbindungsfäden.

Trotzdem zeigt sich die Tiefe des Umbruchs in den achtziger Jahren darin, daß wenigstens ein bedeutender Schriftsteller aus der Zeit unmittelbar vor und nach der Achtundvierziger Revolution eine neue Jugend erlebt und durch sie zu einer wichtigen historischen Figur wird: der alte Theodor Fontane. Wir können hier nur vom alten Fontane sprechen, denn das Nachzeichnen des Weges, den er zurückgelegt hat, um aus dem begabt-epigonenhaften Balladendichter der fünfziger Jahre, aus dem dichterischen Verherrlicher des Altpreußentums zum ersten Großstadterzähler Deutschlands zu werden, geht über den Rahmen dieses Abrisses hinaus. Auch auf sein Alter mußte nicht aus biographischen Gründen hingewiesen werden (seine stärksten Romane entstanden im Alter zwischen fünfundsechzig und achtzig Jahren), sondern darum, weil seine Erzählungskunst zwar aus dieser Krisenperiode herauswächst, zwar einen ragenden Gipfelpunkt der Literatur dieser Zeit bildet, dem Stile und der Gesinnung nach jedoch den entscheidenden literarischen Tendenzen des Naturalismus fernsteht. Fontane ist zugleich eine abschließende Spätgestalt der deutschen Epik der Jahrhundertmitte und ein kritischer und praktischer Mitkämpfer der literarischen Umwälzung der achtziger Jahre. Er gehört innerlich der alten Generation schon darum an, weil er an der sozialen und ideologischen Krise der achtziger Jahre nur insofern teilnimmt, als er sich an ihren Tendenzen einer realistischen Darstellung der Gesellschaft der Gegenwart dichterisch verjüngt und sich als Schriftsteller zum erstenmal in seinem Leben wirklich findet. Die messianische Aufgeregtheit der neuen Generation aber geht an ihm vorüber; sowohl die soziale wie erst recht die naturalistisch-artistische. Von der naturalistischen Auflösung des Stils ist bei ihm keine Spur wahrnehmbar, weder in der Komposition, die bei all ihrer kunstvollen Lässigkeit, bei all ihrer bewußt lockeren Wesensart, tief in den Traditionen der Jahrhundertmitte wurzelt, noch in der Sprache, die ihre Lebenswahrheit durch Echtheit des Gehaltes und des Tonfalls erreicht und nie in die Nähe der Nachahmung der unmittelbaren Alltagssprache gerät.

Bei dieser Distanz zum Naturalismus ist die subjektive und objektive Verbundenheit Fontanes mit der literarischen Bewegung der achtziger Jahre entscheidend und tief. Sie liegt auf dem Gebiet der rücksichtslos lebenswahren und kritischen Gesellschaftsschilderung, in dem Erfassen der Poesie der damals entstehenden deutschen Großstadt. Für die älteren und jüngeren Altersgenossen Fontanes bedingt noch das alte Deutschland Thematik und Darstellungsstil. Die kapitalistische Epoche nach 1870 wird entweder ignoriert oder erscheint als elegisch-satirisch bekämpfter Eindringling und Zerstörer (Wilhelm Raabe). Der Erzähler Fontane hingegen steht mit beiden Füßen auf dieser neuen Großstadtwirklichkeit. Er akzeptiert ihren Sieg über das Alte, er versucht – mit großem Erfolg – ihre immanente Poesie dichterisch frei zu machen und zu neuer Form gerinnen zu lassen.

Dieses vorbehaltlose Einleben in die neue Wirklichkeit bedeutet nicht, daß er sich ihr gegenüber kritiklos verhält. Nur wird der Maßstab der Kritik nicht der untergehenden alten Welt entnommen, sondern wächst organisch aus der sozialen und individuellen Psychologie, aus den moralischen Konflikten zeitgenössischer Menschen heraus. Und in dieser Kritik geht der alte Fontane dem Wesen nach viel weiter als seine jüngeren Kampfgenossen, zum Teil auch darum, weil seine Skepsis ihrem sozialen Messianismus fernsteht. Seine langsame Entwicklung zu einem bedeutenden Gesellschaftskritiker und Gesellschaftsschilderer fällt mit dem Prozeß seiner allmählichen Enttäuschung am Preußentum, zu dem er in den Depressionsjahren nach achtundvierzig geflüchtet war, innerlich zusammen.

Freilich ist Fontane seinen bewußten Überzeugungen nach nie ein oppositioneller Demokrat. Aber die Erfahrungen eines langen Lebens, in dem er das Heranwachsen und das Absterben des Bismarckschen Systems aus der Nähe miterlebte, führen ihn in der Gestaltung ethischer Konflikte zu einer tiefen, weitgehenden, vernichtenden Kritik des menschlichen Gehalts, der hinter der stramm-militaristischen oder besonnen-bürokratischen Haltung des Preußentums seiner Zeit verborgen lag. (Wie sehr diese Kritik in ihren Konsequenzen über Fontanes bewußte politische Anschauungen hinausging, kann hier nicht untersucht werden.)

Fontane entdeckt als erster deutscher Schriftsteller, daß das soziale und moralische System der Gebote in der preußischen Oberschicht nur noch als toter und tötender Automatismus funktioniert, daß es über keinerlei innerlich richtunggebende Gewalt mehr in der Seele der Menschen verfügt. Fontanes beste Erzählungen enthalten demgemäß private Schicksale, in denen sich die einfachsten und elementarsten Forderungen eines menschlichen Lebens an den Schranken dieses Automatismus stoßen. Der Skeptiker Fontane sieht klar, daß die Menschen bei solchen Zusammenstößen unweigerlich zugrunde gehen müssen, äußerlich und innerlich oder wenigstens innerlich. Und zwar an sozialen Geboten, denen sich zu fügen sie gezwungen sind, die aber für sie bereits jede überzeugende moralische Würde verloren haben. Der lebenstötende unmenschliche Charakter des Preußentums wird hier schlicht und wahr, ohne pathetische oder satirische Empörung, aber mit tiefer Psychologie und großem moralischem Feingefühl rein erzählend vor uns entlarvt.

Wir wiederholen: seinen bewußten politischen Überzeugungen nach ist Fontane kein Demokrat. Er ist es aber als Gestalter. Denn er sieht, daß diese Unmenschlichkeit in dem klassenmäßig bestimmten Sein der preußischen Herrenschicht wurzelt, daß der hier zutage tretende, durch »Strammheit« verdeckte moralische Nihilismus dem Volke selbst völlig fremd ist. Wenn also seine plebejischen Figuren mit dieser Welt in konfliktvolle Beziehungen geraten, so können sie dabei Opfer werden, ihr Lebensglück verlieren. Sie zeigen aber eine moralische Überlegenheit, die sich allerdings bei Fontane nie in oppositionellen oder gar rebellischen Taten ausdrückt, deren menschliche Präponderanz jedoch von ihm bewußt und mit Energie herausgestellt wird (Frau Pittelkow in »Stine«, Lene Nimptsch in »Irrungen, Wirrungen«, Roswitha Gellenbogen in »Effi Briest« usw.)

Nur einmal lüftet Fontane den Schleier, der die sozialen Konsequenzen seines Skeptizismus sonst – wohl auch für ihn selbst – verdeckt: in der historischen Erzählung »Schach von Wuthenow«. In diesem kleinen Meisterwerk – einem der wenigen Produkte der deutschen Epik von echter Tiefe im Erfassen der Geschichte – erwächst die Aufdeckung der menschlichen Untergründe der preußischen »Haltung« im Privatleben zu einer inneren Vorgeschichte der Schlacht von Jena, zur Entlarvung »einer Armee, die statt der Ehre nur noch den Dünkel und statt der Seele nur noch ein Uhrwerk hat«. Da aber Fontanes Helden aus der preußischen Oberschicht seelisch dieselbe Struktur zeigen wie die Repräsentanten der preußischen Armee am Vorabend von Jena, nur daß ihr moralischer Nihilismus weiter vorgeschritten ist, sind die Folgerungen aus dem Werk seiner Spätzeit – mögen sie ihm persönlich verborgen geblieben sein – unschwer zu ziehen.

Es ist leicht ersichtlich, wie die Krise der achtziger Jahre diese hohe realistische Kunst in dem alten Fontane ausgelöst hat. Es ist noch leichter verständlich, daß er auch als Kritiker zum Vorkämpfer der literarischen Erneuerung geworden ist. Er hat entschlossen für Ibsen gekämpft, wenn auch mit Vorbehalten gegen dessen moralisch-romantischen Utopismus. Er hat seine ganze

Autorität eingesetzt, um den Eintritt des jungen Hauptmann in die deutsche Literatur siegreich zu machen.

Der alte Fontane hat hier klarer gesehen als der größte Teil der zeitgenössischen Kritiker. Denn erst mit dem Werk des jungen Hauptmann – wenn man von Fontane selbst absieht – wächst die naturalistische Bewegung zeitweilig über die allzu eng gesteckten literarischen Grenzen der »Freien Bühne« hinaus und weist wieder in die Richtung einer großen, nationalen Literatur. Der junge Hauptmann bringt mit, was die Sehnsucht der achtziger Jahre gefordert hat: Nähe zum lebendigen Leben der Gegenwart, Schaffen von Menschen aus Fleisch und Blut, die unsere Sprache sprechen, eine volksnahe Kunst, in der die großen Probleme der Epoche Gestalt finden. Daß dies Hauptmann nur in zwei Werken, in den »Webern« und im »Biberpelz«, vollendet gelang, ändert an der historischen Bedeutung seiner Jugendtat nichts.

Erstaunlich ist die artistische Reife des jungen Hauptmann, sein dichterischer Takt der Begrenzung in diesen beiden Werken: einerseits eine Revolte der Sehnsucht ohne klare Ziele (Weberaufstand der vierziger Jahre), andererseits die Guerilla der Unteren gegen das veraltete und korrumpierte Oben. Die Begrenzung aber liegt letzten Endes in seiner Zeit, im damaligen Deutschland; sein dichterischer Takt bestand darin, daß er das innerhalb dieses Rahmens irgend Mögliche geschaffen hat. Sobald er höher hinaufstrebt, muß er versagen. »Florian Geyer«: eine Bewegung von welthistorischer Tragik, das Scheitern Deutschlands an der Schwelle des Übergangs vom Mittelalter zur Neuzeit. Die tiefe historische Dialektik seines Stoffes hat Hauptmann nicht erfaßt. Er ist dichterisch groß nur im Milieu und in der rein menschlichen Größe der Stimmung des tragischen Untergangs eines Menschen, der das Reine will. Und die Ausdehnung des Kleinkriegs von unten und oben zu einem dauernden und latenten Kampf auf der ganzen Linie (wie dies die großen Franzosen und Russen oft gestaltet haben) scheitert ebenfalls im »Roten Hahn«.

Seine schönen dichterischen Eigenschaften bleiben noch lange in Wirksamkeit, aber sie reichen nur dazu aus, um die Verlorenheit der Menschen im Leben, ihr Zerdrücktwerden vom Leben darzustellen. Die Basis ihrer Sehnsucht nach menschlicher Existenz wird konkret-gesellschaftlich nur schwach verdeutlicht. Eine Klärung und Erweiterung der Grundlagen der Tragik ist bei Hauptmann unter den Bedingungen der deutschen Entwicklung nicht erfolgt. Und seine weltanschauliche Vertiefung treibt einerseits ins bloß Privat-Individuelle hinein, andererseits und zugleich in einen luftleeren Raum der bloßen Abstraktion. Man vergleiche den dichterisch schönen, psychologisch oft tiefen »Emanuel Quint« mit Pontoppidans »Gelobtem Land«, wo ein sehr ähnliches Thema behandelt wird, und man wird nicht nur den größeren Reichtum des Dänen an Erkenntnis der gesellschaftlichen Gliederungen und Bestimmungen erblicken, sondern auch sehen, wie dadurch die Tragik des Haupthelden reicher und konkreter als bei Hauptmann wird. Mit dem Versuch, über seine ursprüngliche Gefühlsbasis hinauszuwachsen, verliert Hauptmann alles innerlich Richtunggebende.

2

Überwindung des Naturalismus

Wir mußten hier zeitlich vorgreifen. Aber Hauptmanns Schicksal wirft ein Licht auf die ganze literarische Bewegung. In ihm drückt sich eine allgemeine Tendenz, das Schicksal vieler Schriftsteller seiner Generation aus. Die Sympathie mit dem Sozialismus war für sie alle nur eine Episode, ein Übergang. Nach der vergeblichen Revolte der »Jungen« ist die »sozialistische Welle« in der Literatur vorbei. Mit ihr die Herrschaft des konsequenten Naturalismus als Stil. Bahr proklamiert schon anfangs der neunziger Jahre die Notwendigkeit seiner Überwindung. Vorerst löst Maeterlinck Zola und Ibsen ab. Auch der Einfluß nordischer und französischer Impressionisten tritt in den Vordergrund. Diese Einflüsse bezeichnen aber nur die Oberfläche, künstlerisch ist der Übergang zwischen den einzelnen, sich heftig befehdenden Stilrichtungen gleitend. Wichtig ist die Abwendung vom sozialen Messianismus der achtziger Jahre.

Es wäre falsch, hier von einem Renegatentum zu reden. In ihrer Mehrzahl sind diese Schriftsteller nie Sozialisten im eigentlichen Sinne des Wortes gewesen. Ihre Annäherung oder ihr Anschluß an die sozialdemokratische Bewegung erfolgt aus einer instinktiven demokratischen Empfindung. Richard Dehmel gibt sehr feine und interessante künstlerische Analysen über die Grenzen des naturalistischen Stils vor allem in der Sprache, geht aber auf die entscheidenden sozialen und weltanschaulichen Fragen, die diesen Stil bestimmen, wenig ein. Nur an einer Stelle streift er das Kernproblem: »Ist denn die Haut schon der Leib, und ist der Leib der

Mensch, und ist der Mensch sein Leben, und ist sein Leben seine Zeit?« In dieser Frage steckt die Möglichkeit des Hinausgehens über das naturalistische Prinzip: über das Klebenbleiben bei der Wiedergabe der unmittelbar gegebenen Wirklichkeit. Die echte Überwindung des Naturalismus wäre die Erkenntnis, das künstlerische Erlebnis einer von uns unabhängigen objektiven Wirklichkeit. Einen unmittelbaren Zugang zu ihr besitzen wir freilich nur durch unsere Sinneseindrücke, aber ihre über diese Unmittelbarkeit hinausgehende Essenz und Gesetzlichkeit muß uns keineswegs verschlossen bleiben. Dehmel verwirft mit Recht die bloße Unmittelbarkeit der naturalistischen Ausdrucksweise, sieht aber nicht, daß diese nur überwunden werden kann, wenn jenen objektiven, gesellschaftlich-geschichtlichen Mächten des Lebens, die die Charaktere, die Entwicklungen, die Geschichte der Menschen, ohne daß sie dessen sich bewußt werden, bestimmen, die ihnen sachlich zukommende Stelle in der Gestaltung gegeben wird.

Die Unmittelbarkeit des Naturalismus stellt die Welt dar, so wie sie in den Erlebnissen der Figuren selbst direkt erscheint. Um eine vollendete Echtheit zu erlangen, geht der naturalistische Schriftsteller weder inhaltlich noch formell über den Horizont seiner Gestalten hinaus; ihr Horizont ist zugleich der des Werks. Es ist nun klar, daß hier ein Problem der künstlerischen Weltanschauung berührt wird. Für die älteren Schriftsteller war es selbstverständlich, die objektiven Mächte des Lebens zum Ausgangspunkt, zur Grundlage zu nehmen. Sie kümmerten sich nicht darum, wieweit die Helden der Dichtung ihr eigenes Schicksal begreifen. Fontane zum Beispiel, der hierin durchaus »unmodern« empfindet, gestaltet im tragischen Liebesabenteuer Schach von Wuthenows die gesellschaftlich-menschlichen Voraussetzungen der Jenaer Katastrophe. Obwohl selbst die Ahnung solcher Zusammenhänge weit über die Denkfähigkeit seines Helden hinausgeht. Der Naturalist lehnt ein solches Abheben der Gestaltungsprinzipien der objektiven Wirklichkeit von den Denk- und Empfindungsgrenzen seiner Helden ab. Selbst bei Hauptman wird der Bauernkrieg für uns nur so weit sichtbar, als sein Florian Geyer imstande ist, ihn zu erleben.

Dies ist das geistige und weltanschauliche Grundprinzip des Naturalismus, das allerdings in seiner Tragweite sowohl den Begründern wie den Überwindern des Naturalismus unbekannt geblieben ist. Darum haben diese letzten zwar die Ausdrucksmittel des Naturalismus oft scharfsinnig und richtig kritisiert, aber seine geistig-weltanschaulichen Grundlagen unverändert übernommen und weitergeführt. Dadurch jedoch mußten die Schranken des Naturalismus immer wieder auftauchen. Denn das bloß sprachliche Hinausgehen über den Ausdrucksdurchschnitt des Alltagslebens, die artistische Verfeinerung in der Wiedergabe von Stimmungen, ja selbst eine gedankliche Erhebung – sei es in den Reflexionen der Schriftsteller oder im Dialog der Figuren – ändert nichts an der Hauptsache, wenn der objektive Horizont des Werkes nicht dem der von ihm widergespiegelten gesellschaftlichen Wirklichkeit gemäß ist, wenn er nicht den subjektiven Horizont der einzelnen Gestalten überwölbt, widerlegt, an seine Stelle rückt und dadurch verständlich macht. Und in diesem geistig-weltanschaulichen Sinne ist das deutsche Schrifttum des imperialistischen Zeitalters – mit wenigen Ausnahmen – stets naturalistisch geblieben. Ob die literarisch-artistische Form Impressionismus oder Expressionismus, Symbolismus oder »neue Sachlichkeit« hieß, in dieser Hinsicht kam es nie zu einem entschiedenen Bruch mit dem Naturalismus.

Hier wirkt sich nun wieder die undemokratische Entwicklung in Deutschland, die Tatsache, daß es keine einflußreiche demokratische Opposition in Deutschland gab, ungünstig auf die Literatur aus. Die formale Überwindung des Naturalismus geht im Zeichen der Abkehr vom gesellschaftlichen Messianismus der achtziger Jahre vor sich. Die Grundstimmung dieser Gärungszeit fixiert sich jetzt – sehr stark von Nietzsche beeinflußt – darin, daß die ursprüngliche demokratische Forderung nach dem allseitig entwickelten Menschen oft einen prinzipiell antisozialen Charakter erhält. Wenn für diese Schriftsteller jede Gesellschaft ein Feind der Persönlichkeitsentfaltung ist, müssen im Hell-Dunkel dieser Abstraktion die besonderen Konturen des deutschen Antidemokratismus der Gegenwart verschwimmen. Die gesellschaftlichen Beziehungen der Menschen werden nicht nur verflüchtigt, sie werden zugleich als sekundär und unwesentlich diskreditiert. Als dichterisch legitimer Stoff erscheint allein die rein innerliche Problematik des Individuums.

Darin liegt der entscheidende Grund dafür, daß die radikalsten Überwinder des Naturalismus im oben skizzierten geistig-weltanschaulichen Sinne Naturalisten geblieben sind. Auch in dieser künstlerischen Hinsicht ist der Einfluß Nietzsches von großer Bedeutung. Nietzsche polemisiert gegen den Dualismus der idealistischen Philosophie der Vergangenheit und seiner Zeit, jedoch nur zu dem Zwecke, jede Konzeption der objektiven Wirklichkeit erkenntnistheoretisch zu vernichten, um die unmittelbar erlebte Umwelt des Menschen als alleinige Realität zu statuieren. Der »Höhepunkt der Menschheit«, die Welt Zarathustras, wird von ihm so charakterisiert: »Die ›scheinbare‹ Welt ist die einzige: die ›wahre‹ Welt ist nur hinzugelogen . . .« Die Wirksamkeit dieser Anschauung, die der künstlerischen Einstellung der Schriftsteller im imperialistischen Zeitalter sehr entgegenkommt, wird noch dadurch verstärkt, daß die einflußreichsten philosophischen Strömungen der Zeit (Neukantianismus, Machismus, Pragmatismus usw.) sehr verwandte Prinzipien verkünden.

Die der Gesellschaft gegenübergestellte Persönlichkeit findet den moralischen Maßstab ausschließlich in sich selbst; sie lehnt jeden sozialen Kompaß radikal ab. Damit werden alle Instinkte heiliggesprochen. Auch jene, in denen die Verzerrung und Verkrüppelung des Menschen durch die gesellschaftliche Struktur des Imperialismus und noch besonders durch die undemokratische deutsche Entwicklung zum Ausdruck kommt, auch die Instinkte der Machtgier, der Grausamkeit, ja des bestialischen Egoismus. Auch hierin ist Nietzsche der Musaget der neuen deutschen Literatur.

Ludwig Feuerbach hat für die hier ausschlaggebende Seite des Problems in dem Drang zur Demokratie klar formuliert: »Unser Ideal sei kein kastriertes, entleibtes, abgezogenes Wesen, unser Ideal sei der ganze, wirkliche, allseitige, vollkommen ausgebildete Mensch.« Die Schriftsteller dieser Generation haßten die bürgerliche Gesellschaft, weil sie der Persönlichkeit diesen Entwicklungsspielraum nicht gab. Sie wandten sich nach unten, weil sie dort Leidensgenossen, vor allem in der Unterdrückung der Persönlichkeit sahen. Sie wurden »Sozialisten« aus unklarem Messianismus. Indem ihre Anschauungen wenigstens subjektiv bewußter wurden, indem sie sich entschiedener dem Problem der Persönlichkeitsentwicklung, ihrem eigentlichen Zentralproblem, zuwandten, verlor sich ihr Interesse für sozialistische Ideale, und gleichzeitig begannen sie sich vom Naturalismus abzuwenden, der ihnen nunmehr zu eng geworden war. Dehmel, dessen gelungene Gedichte neben Hauptmanns Dramen bleibende Denkmäler dieser Periode bilden, schreibt über die Grenzen des Naturalismus:

»Das Wesentliche wird erdrückt durch das Zuständliche ... Tiefste Seelenregungen in ganzer Klarheit ans Licht zu ziehen, ist die neue Schreibart aber auch deshalb unfähig, weil sie durch ihr grundsätzliches Vorbild, die Umgangssprache, von vornherein gezwungen ist, auf der Oberfläche zu bleiben. Auf diese Weise bringt sie allerdings einen täuschenden Schein alltäglicher Wirklichkeit zustande ... jedoch das Bedürfnis des Menschen nach Deutung der Wirklichkeit, seine Sehnsucht nach Wahrheit geht dabei leer aus.«

Als ästhetische Kritik sind diese Bemerkungen durchaus treffend. Es fragt sich nur, worin das von Dehmel geforderte »Wesentliche« besteht. Es entwickelt sich in der deutschen Literatur ein Nietzsche-Kult, der in der Überwindung des Naturalismus, von O. E. Hartleben bis Felix Hollaender, die entscheidende Rolle spielt.

Der bedeutende Lyriker Detlev von Liliencron, der stilistisch der neuen Bewegung nahestand, ohne je ihren sozialen Messianismus zu teilen, drückt die Stimmung der Zeit der Überwindung des Naturalismus mit Klarheit aus: »Nein, den sozialdemokratischen Unsinn verstehe ich nicht. Was ich verstehe, ist der Anarchismus ... Das lobe ich mir: da kommt das scheußliche Raubtier, genannt der Mensch, doch direkt und ohne Heuchelei zum Vorschein.« Anarchistische Sympathien, in vielen Fällen mit Nietzsche verknüpft, sind in dieser Periode allgemein, nur daß die wenigsten Schriftsteller imstande sind, die Konsequenzen dieser Wendung mit einer so ungehemmten Frische auszusprechen, wie dies Liliencron hier und anderswo tat. Er geniert sich auch nicht, offen auszusprechen, daß solche anarchistischen Sympathien sehr wohl mit einer Bejahung des Imperialismus innerlich vereinbar sind. Er fragt einmal, was eine spätere Zeit in seinem Epos »Poggfred« finden werde: »die philiströse Erbärmlichkeit des Alltagstreibens, die soziale, moralische und religiöse Heuchelei, die feige Bekrittelung aller starken Triebe, den trotzdem unbehemmbaren Flug der persönlichen Phantasie, die unausrottbare Freude am natürlichen Dasein, an den Abenteuern der Liebe, des Krieges und des Weltverkehrs, vor allem aber den unumschränkten Humor des ganz auf sich selbst gestellten Weltmanns, der zu jeder Gemeinheit des menschlichen Schicksals schließlich doch immer sagt: Je m'en fiche.«

Hier ist der Imperialismus offen und sans phrase bejaht. Wir sind natürlich weit davon entfernt zu sagen, daß dies der allgemeine Ton der deutschen Literatur gewesen wäre; man wird sehr bald das Gegenteil sehen. Aber der Gegensatz liegt mehr in der Stimmung als im letzten menschlichen und sozialen Gehalt, als in der Problemstellung, in den Gestaltungsfragen. Eine rückhaltlose Bejahung des Imperialismus findet sich allerdings bei einigermaßen bedeutenden Schriftstellern dieser Periode nur selten. Die Stellung zur Gesellschaft der Gegenwart ist selten freundlich oder gar einfach bejahend. Es bleibt vielmehr die Anklage gegen die Gesellschaft wegen des Zugrundegehens und Verkümmerns der Menschen in ihr und durch sie; das Gefühl, daß ein echter Mensch seine innersten Möglichkeiten nur gegen die Gesellschaft der Gegenwart oder abseits von ihr durchzusetzen vermag. Diese Lebensstimmung erscheint später am reinsten gestaltet in Leonhard Franks Romanen, vor allem in der »Räuberbande« und im »Ochsenfurter Männerquartett«.

Hier aber setzt ein spezifisch deutsches Problem der Verzerrung ein. Im romantischen Antikapitalismus, zum

Beispiel in »Rembrandt als Erzieher«, entsteht eine sich immer weiter ausdehnende weltanschauliche Publizistik, die die wesentlichen romantischen Elemente der Kritik am Kapitalismus in sich aufnimmt, sie mit der Kritik an der Demokratie verknüpft, jedoch aus dieser scheinbar sehr radikal-kritischen Betrachtung die Folgerung zieht, daß die zurückgebliebene politisch-soziale Struktur Deutschlands eine höhere Form des wahren Staates, der wahren Gesellschaft sei als die westlichen Demokratien. Hohenzollern-Deutschland wird also hier nicht mehr wie früher vom konservativen Standpunkt aus verteidigt (natürlich hat auch dieser Standpunkt seine ideologischen Vertreter, besonders in der aus dem Naturalismus herauswachsenden provinzialistisch-engen, anti-großstädtischen »Heimatkunst«), sondern umgekehrt: Demokratie, Sozialismus werden als veraltete, überlebte Formen verworfen. Der autoritäre Obrigkeitsstaat erscheint als etwas Neues, als Überwindung der Widersprüche des Kapitalismus, der Demokratie.

Diese Ideologie ist sehr einflußreich. Sie wirkt, oft freilich indirekt, auf die Weltanschauung vieler führender Schriftsteller. Im Strome einer solchen Lebensansicht können diese sehr wohl die Überzeugung haben, daß sie sich gerade in ihrer oft oppositionellen Gesellschaftskritik weiter vorwärtsentwickelt haben, um so mehr, wenn sie ihrer »antikapitalistischen«, antidemokratischen Gesinnung, ihrem wachsenden Aristokratismus eine allgemein-antigesellschaftliche Betonung geben, wenn sie – oft unbewußt – das wilhelminische Deutschland ins Utopische stilisieren, seine konkreten Formen jedoch kritisieren, ja verwerfen. Objektiv aber werden sie durch die Linie ihrer gesellschaftskritischen Einstellung zu einer Versöhnung mit dem wilhelminischen Deutschland getrieben.

Freilich erscheint dies unter deutschen Bedingungen oft als eine Abwendung von gesellschaftlichen Problemen überhaupt. Es entsteht eine Orientierung auf das rein Weltanschauliche, rein Künstlerische. Die gesellschaftliche Wirklichkeit wird nun – objektiv – kritiklos hingenommen: Man steht, ob man will oder nicht, auf dem Boden des sich entfaltenden Imperialismus. Die alte, aus der revolutionären Demokratie stammende Forderung der Persönlichkeitsentwicklung (ihrer Echtheit, Größe, Tiefe, Entfaltung) wirkt als allein dominierendes Motiv weiter, wendet sich nach innen, verurteilt die Gesellschaft, aber reduziert sie gerade dadurch zu etwas äußerlich Nebensächlichem, zu einem bloßen Rahmen, einer Kulisse, einer Veranlassung der inneren Begebenheiten. Sie sucht vom subjektiven Erlebnis, von der inneren Entwicklungsgesetzlichkeit des Individuums aus einen festen weltanschaulichen Boden zu gewinnen. Es wird aber dabei immer wieder sichtbar, daß um ein solches Individuum notwendig eine Leere, ein Hohlraum entsteht.

Daraus erwachsen große, künstlerische Gefahren. Die deutsche Entwicklung führt zu einer Schwächung des sozialen Blickes der Schriftsteller, das heißt einer Schwächung ihrer Fähigkeit, im Menschen und seinem Schicksal das Soziale als von ihm unabtrennbares Aufbauelement zu sehen. Der Naturalismus hat trotz seiner Tendenz zur Oberfläche des Alltags gegen diese Schwäche gearbeitet. Jetzt erfolgt wieder eine Ablenkung. Auf dieser Grundlage entsteht ein falsches Dilemma in der Psychologie auch bedeutender deutscher Schriftsteller. Entweder geben sie, wie der Naturalismus (und später die »neue Sachlichkeit«), das Gesellschaftliche allzu direkt, die individuellen menschlichen Vermittlungen überspringend. Dann entsteht eine flache Psychologie, ohne Dimensionen. Oder es werden die sozialen Vermittlungen übersprungen, wodurch die ganze Psychologie falsch dimensioniert ist. Es entsteht eine gehaltlose, sich in Willkürlichkeit verlierende Pseudotiefe. Ein ähnliches falsches Dilemma entsteht in der Thematik und ihr zufolge in der Handlungsführung. Sie ist entweder allzu direkt, nackt tendenziös, die Menschen zu typischen Schemen vergewaltigend, oder sie wird exzentrisch, indem die »letzten Fragen« unmittelbar an bloß subjektive Erlebnisse (zuweilen sogar Erlebnisfetzen) angehängt werden, scheinbar direkt aus ihnen herauswachsen.

All dies bedeutet natürlich nicht, daß Thematik und Psychologie der deutschen Schriftsteller nicht objektiv aus den gesellschaftlichen Problemen erwachsen würden. Aber Schriftsteller aus demokratischen Ländern oder mit revolutionär-demokratischen Traditionen haben für diese Zusammenhänge ihrer Stoffe und Formen eine viel höhere Bewußtheit und darum für die menschlichen und handlungsmäßigen Vermittlungen eine viel feinere Empfindungs- und Erfindungsgabe. Wo ein Tolstoi oder Anatole France mit großer Sicherheit einfache typische Situationen, ungekünstelte seelische Übergänge findet, gerät der moderne Deutsche ins Dickicht der mystisch aufgezogenen Willkür.

Uns fehlt hier der Raum, diese Entwicklung in ihrer Gesamtheit auch nur anzudeuten. Wir führen nur als ihren Repräsentanten Jakob Wassermann an. Hier bietet sich der Vergleich mit den großen Russen von selbst dar, weil Wassermann sehr oft ihre Motive in seiner Weise bearbeitet. So, um nur ein Beispiel anzuführen, ist der Grundkonflikt seines »Christian Wahnschaffe« eine deutsche Variante zu Tolstois »Auferstehung«: ein Mensch der höheren Gesellschaft wird zur Einsicht der Hohlheit des Lebens in den oberen Schichten geführt und sucht nun unten die wahre Menschlichkeit, ein sinnvolles

Leben. Wo aber bei dem Russen aus natürlichen Voraussetzungen einfache und gewaltige Konflikte erwachsen, entsteht hier ein Gewirr von kolportagehafter Handlung und nach Tiefe schielender Psychologie. Bei allem Talent Wassermanns ist hier eine ungewollte, mystifizierende Karikatur seines Vorbilds geschaffen worden.

3

Repräsentative Lyrik der wilhelminischen Zeit

Wir haben mit Absicht die Aufeinanderfolge der verschiedenen Überwindungen des Naturalismus nicht im einzelnen behandelt. Nicht nur weil die Übergänge sehr gleitend sind und das Wesentliche nicht zum Ausdruck bringen; die wirklich bedeutenden Gestalten der Vorkriegszeit lassen sich hierbei viel weniger organisch einordnen als der junge Hauptmann in den Naturalismus. Das Ineinander-Übergehen der Richtungen hat seinen objektiven Grund in einer gewissen inneren Einheitlichkeit der wilhelminischen Periode von der Zeit an, als sie ihre Anfangskrise überwunden hat, bis zum Ausbruch des Weltkrieges. Nach außen gesehen, allgemeiner Wohlstand, stürmische Aufwärtsbewegung im Wirtschaftlichen. Innere Gefahren scheinen überwunden zu sein, niemand denkt mehr ernsthaft an einen revolutionären Umschwung, niemand fürchtet oder erhofft ihn. Es ist – wie die spätere reaktionäre Kritik zu sagen pflegt – das Zeitalter der »Sekurität«.

Auch literarisch gewinnt das deutsche Schrifttum seit dem Naturalismus eine anerkannte Stellung im internationalen Geistesleben. Gestalten wie Hauptmann, Heinrich und Thomas Mann, Rilke und George sind unzweifelhaft europäische Erscheinungen. Dem äußeren Aufschwung scheint ein innerer zu entsprechen; es entstand eine »machtgeschützte Innerlichkeit« (Thomas Mann).

Die wirkliche Literatur dieser Zeit drückt jedoch keine Zufriedenheit aus. Die soziale Anklage ist zwar völlig verstummt. Desto häufiger und energischer erklingt die ins Innerliche verlegte Klage oder Anklage: tiefe Unzufriedenheit des Menschen mit sich selbst, mit seinen Entwicklungsmöglichkeiten, mit den Persönlichkeitsformen, die ihm seine Umwelt gibt oder gestattet. Diese wird selten Gesellschaft genannt, sie verblaßt, sie verflüchtigt sich zur »Welt«, zum »Schicksal«, zum »Kosmos« oder anderen Abstraktionen.

Aber in Klage und Anklage gewinnt – oft ungewollt, fast immer unbewußt – das wirkliche Objekt des Jammers, die unerkannte Struktur der Gesellschaft, eine dichterische Gegenständlichkeit. Um so mehr als schon der Naturalismus und besonders seine Überwindung eine bisher in der deutschen Literatur unbekannte Geschmeidigkeit des sprachlichen Ausdrucks geschaffen haben. Die flüchtigsten Beobachtungen, die leisesten Stimmungswechsel können von der neu aufgeblühten Sprache eine dichterisch sinnliche Objektivität erhalten. Und der Kultus dieser Ausdrucksmittel, dieses Ausdrucksspielraums erzieht die wirklichen Dichter zu einer Aufrichtigkeit sich selbst gegenüber, wenn auch die Schranken des Horizonts durch subjektive Ehrlichkeit nicht zu durchbrechen sind. So sehr der Prozeß, der in den Schriftstellern vor sich geht, objektiv vielfach ein Weggedrängtwerden von den großen Problemen der Epoche und ihrer adäquaten dichterischen Erfassung im Menschen, in Situationen oder Sinnbildern ist, so sehr beruht die künstlerische Verfeinerung und Verinnerlichung der Sprache auf einer hellseherisch-hellhörerischen Bewältigung des individuellen Erlebnisses.

Freilich mischen sich die Tendenzen der objektiv falschen gesellschaftlichen Lage der deutschen Schriftsteller in diesen Prozeß oft ein. Sie verändern die subjektive Ehrlichkeit bisweilen zu einem unentwirrbaren Gemenge von Bekenntnis, Selbststilisierung und auch Selbstbetrug;

sie können sogar ins total Verlogene umschlagen. Die dichterische Aufrichtigkeit, die Aufrichtigkeit unter zwei Augen ist desto ungestörter und hemmungsloser, je weniger der zu gestaltende Stoff die Totalität der äußeren Welt umfaßt, je weniger Nichtwissen (und Nichtwissenwollen) zwischen dem Gestalter und dem zu gestaltenden Gegenstand liegt.

Darum ist es kein Zufall, daß die Stellung des deutschen Menschen im Zeitalter des wilhelminischen Imperialismus bei den großen Lyrikern am reinsten zum Ausdruck kommt. Sie sind, könnte man sagen, die Schlüssel zur Dechiffrierung der Epik und Dramatik dieser Periode.

Rilke ist ein Lyriker dieser »Sekurität«. Die äußeren Existenzprobleme, die bei Dehmel im Mittelpunkt standen, verschwinden so gut wie vollständig. Es ist aber auffallend, daß die Verlorenheit nie vorher so echte Töne gefunden hat. Die Klage Rilkes geht nicht um ein persönliches Leid, nicht um ein konkretes schweres Erlebnis wie bei den meisten älteren Lyrikern: »und ahnend einzusehen, wie unpersönlich, wie über alles hin das Leid geschah . . .« Die Bilder, die er sieht, die Töne, die er in sich aufnimmt, die Schicksale, die oft nur vorbeihuschend sich mit dem seinen berühren, verwandeln sich unversehens, unverhofft in Klagen über eine Welt, die zu erfassen, in der zu leben unmöglich ist. Rilke besingt einen Panther im Jardin des Plantes:

> Sein Blick ist vom Vorübergehn der Stäbe
> so müd geworden, daß er nichts mehr hält.
> Ihm ist, als ob es tausend Stäbe gäbe
> und hinter tausend Stäben keine Welt.

Dabei ist Rilke nicht etwa ein Pessimist im landläufigen Sinn. Als Dichter bejaht er gestaltend alles, auch die kleinsten, unscheinbarsten Dinge und Begebenheiten, auch das Gräßliche und Schreckliche erfaßt er fein, drückt er erlesen mit solchem Enthusiasmus im Erfassen, im Miterleben aus wie wenige Dichter vor ihm. Aus dem einfachsten Gegenstand, besser: aus Rilkes Erfassen des einfachsten Gegenstandes tönt aber immer wieder – und mit seinem Reifwerden immer reiner – diese Klage über die Verlorenheit des Menschen in einer von Grund aus fremden, ja feindlichen Welt:

> ... denn das Schöne ist nichts
> als des Schrecklichen Anfang, den wir gerade noch
> ertragen,
> und wir bewundern es so, weil es gelassen verschmäht,
> uns zu zerstören.

Was ist das für eine »Sekurität«, die so in ihrem reinsten Sänger tönt?

Stefan George gibt hier eine deutlichere Antwort. Die Welt der »Sekurität« in ihrem äußeren Aufriß ist bei ihm klarer sichtbar als bei Rilke. Ein großer – und der dichterisch allein wirklich wertvolle Teil seines Lebenswerks ist der reinen Innerlichkeit, den rein seelischen Geschehnissen dieser Zeit gewidmet. Es sind lyrisch gestaltete Menschen, nicht bloß Eindrucksschatten, die innerhalb seiner zauberisch schönen, zauberisch gehüteten Landschaften handeln und leiden. Aber es sind Menschen, die sich vom Leben der Gesellschaft bewußt abgewandt haben, die die Gesellschaft gar nicht mehr verneinen, denn vor dem Erleben ihres Ichs versinkt sie in Nichtigkeit und ist nicht einmal als Horizont sichtbar. »Das Jahr der Seele«, »Der Teppich des Lebens« heißen nicht umsonst die dichterisch vollendetsten Gedichtsammlungen Georges. Alles, was die reine Verinnerlichung an seelischen Werten zu geben vermag, ist da. Eine Insel des äußeren Wohlbehütetseins, wo kein Ufer der bürgerlichen Prosa zu sehen ist. Eine hart aristokratische Welt, erfüllt von der innerlich-seelischen Problematik der Gegenwart. Zugleich eine Welt, von tiefster Melancholie umgeben: denn Verzicht, Resignation, schönes Scheiden, bestenfalls schöne Minuten, umschattet von ihrer unvermeidlichen, auch im Rausch vorausklingenden Vergänglichkeit, bilden ihren Inhalt.

Eine hart aristokratische Welt. George lehnt das gesellschaftliche Leben seiner Zeit leidenschaftlich ab. Er sieht in ihr nichts als seelenmordende Prosa, nichts als verkörperte Verworfenheit. Sein Aristokratismus ist unbrüderlich: Es gibt bei ihm nur schöpferisches Genie und rohe Masse ohne Zwischenstufen, ohne Vermittlung, ohne irgendwelche Gemeinschaft. Es gibt echte Menschen, die auf seine seelischen Höhen zu folgen vermögen, die nur in einer solchen reinen und dünnen Atmosphäre atmen können – und es gibt Gesindel, Menschen der Niederung, die aus eigener Schuld, aus eigener Blindheit und Minderwertigkeit vom echten Leben ausgeschlossen sind.

Alles habend, alles wissend seufzen sie:
Karges leben! drang und hunger überall!
Fülle fehlt.
Speicher weiß ich über jedem haus
Voll von korn das fliegt und neu sich häuft –
Keiner nimmt.
Keller unter jedem hof wo siegt
Und im sand verströmt der edelwein
Keiner trinkt.
Tonnen puren golds verstreut im staub:
Volk in lumpen streift es mit dem saum –
Keiner sieht.

Hier sind die Folgen der deutschen Nuance eines romantischen Antikapitalismus deutlich sichtbar. Aus dem Haß gegen diese Welt, die Welt des gegenwärtigen Kapitalismus und der Demokratie, erwächst das »Prophetentum« Georges.

Mit ihm wird der in den Gedichten latente Dualismus von fein resignierter, sorgsam behüteter Empfindsamkeit und von unbrüderlich hartem Egoismus des imperialistischen Rentners offenbar. Der »Prophet« George wird zum Fortsetzer Nietzsches, dessen Charakter, beiläufig, einen sehr ähnlichen Dualismus zeigt. Aber das Offenbarwerden seiner tiefsten Überzeugungen wird für George verhängnisvoll. Als Dichter verliert er seine zarte Innigkeit und verfällt einem priesterlich übersteigerten, oft hohl rhetorischen Pathos. Als Gesamtgestalt wird er einer der geistigen Führer der heraufziehenden neuen Reaktion. Er erhebt nicht nur leidenschaftliche Anklagen gegen die Gegenwart, er verkündet auch immer schärfer ihren notwendigen Untergang und zugleich das Aufkommen einer anderen Welt, eines »Neuen Reiches«, der Erlösung aus dieser Schlechtigkeit und Häßlichkeit, einer Welt frei vom »seichten sumpf erlogner brüderei«, herbeigeführt von einer heranwachsenden reinen Jugend, geschaffen von einem Georgeschen Genie der Tat:

Der sprengt die ketten fegt auf trümmerstätten
Die ordnung, geißelt die verlaufnen heim
Ins ewige recht wo großes wiederum groß ist
Herr wiederum herr, zucht wiederum zucht, er heftet
Das wahre sinnbild auf das völkische banner
Er führt durch sturm und grausige signale
Des frührots seiner treuen schar zum werk
Des wachen tags und pflanzt das Neue Reich.

Unter Berufung auf solche Gedichte hat der Faschismus George für sich reklamiert. Nicht mit vollem Recht, soweit es den Dichter selbst betrifft. Auch George wollte nichts vom Hitlerismus wissen: er ist in freiwilligem Exil gestorben. (Wobei allerdings festzustellen ist, daß George, ebenso wie Spengler, nicht die Tyrannei, nicht die despotische Willkür, nicht den aggressiven Imperialismus Hitlers ablehnt, sondern nur die demagogischen Formen seiner Herrschaft.) Objektiv jedoch sind ohne Frage nicht unwesentliche Zusammenhänge vorhanden. Sie zeigen, wie sehr die innere Entwicklung der deutschen Literatur im Imperialismus in die Richtung einer autokratischen Diktatur drängt – wie sehr der Boden für ein Zerschlagen der Demokratie, für eine Konfiskation der Freiheit, der Menschenrechte auch bei begabten und überzeugten Deutschen dieser Zeit vorbereitet war.

Und noch weiter. Mit dem Verlust der gesellschaftlichen Maßstäbe für die volle innere Entfaltung des Individuums, mit der Entstehung eines Aristokratismus der Innerlichkeit geht jeder moralisch-künstlerische Maßstab für die Berechtigung oder aber die Verworfenheit menschlicher Gefühle, Gedanken, Erlebnisse verloren. Schön oder häßlich, erlebniserfüllt oder leer ersetzen als Maßstäbe das Gute oder das Böse. Die so entstandene moralische Richtungslosigkeit, das so selbsterschaffene Chaos bringt bei George die Verherrlichung des größenwahnsinnigen römischen Schlächters Heliogabalus hervor:

Sieh ich bin zart wie eine apfelblüte
Und friedenfroher denn ein neues lamm,
Doch liegen eisen stein und feuerschwamm
Gefährlich im erschütterten gemüte.
Hernieder steig ich eine marmortreppe,
Ein leichnam ohne haupt inmitten ruht,

Dort sickert meines teuren bruders blut,
Ich raffe leise nur die purpurschleppe.

Diese Explosion der Widermenschlichkeit erwächst bei George aus der aristokratisch-ästhetischen Unbrüderlichkeit seiner Weltanschauung. Als Zeichen der Zeit hat sie aber eine noch allgemeinere Bedeutung. Denn auch bei dem gänzlich unpolitischen, rein auf zarte Einfühlung gerichteten Rilke fehlen solche Töne nicht. Der überfeinerte Rilke ist imstande, über den lebendig verbrannten Freiheitskämpfer, über den »König von Münster«, dieses Gedicht zu schreiben:

Der König war geschoren;
nun ging ihm die Krone zu weit
und bog ein wenig die Ohren,
in die von Zeit zu Zeit
gehässiges Gelärme
aus Hungermäulern fand.
Er saß, von wegen der Wärme,
auf seiner rechten Hand,
mürrisch und schwergesäßig.
Er fühlte sich nicht mehr echt:
der Herr in ihm war mäßig,
und der Beischlaf war schlecht.

Zu den hier bei George und Rilke ausgedrückten Gefühlen, zu der hier zum Vorschein kommenden barbarischen Gesinnung ist kein Kommentar vonnöten. Es genügt, darauf hinzuweisen, wie sie hier völlig auch ihr Niveau verloren haben, wie sie auf den geistigen und menschlichen Standpunkt jenes bösartigen Kleinbürgertums gesunken sind, das später das eigentliche Werbungsgebiet Hitlers abgab. Dieser Absturz zeigt sich aber auch im rein Künstlerischen. Es wird wohl keinem Leser entgangen sein, daß die »Schönheit« des Georgeschen Heliogabalus kolportagehafte Züge trägt und daß Rilkes Gedicht seine sonstige musikalische und malerische Beschwingtheit völlig vermissen läßt: es ist die triste Prosa der hämisch-reaktionären Verleumdung, in trockene, holprige Verse gebracht.

Damit erhält die Verlorenheit des Menschen in der Welt ein neues moralisches Gesicht. Nicht nur das ist erschreckend, daß intellektuell hochstehende, feinorganisierte Menschen plötzlich Bestialitäten verherrlichen, daß sie moralisch auf das Niveau sadistisch gewordener Kleinbürger herabsinken, sondern daß das ihnen unversehens, unbewußt geschieht, daß sie, ohne es zu merken, in diese Bestialität hinübergleiten und im nächsten Moment die feinsten Empfindungen in der erlesensten Sprache verkünden. Die Unterwelt öffnet ihre Pforten in der Seele der verfeinertsten Geister der Periode. Für diese Menschen ist nicht nur die Welt verlorengegangen, nicht nur der Mensch ist in ihr heimatlos geworden, auch der scheinbar allein übriggebliebene innere Menschenkosmos geräte in Auflösung. Der späte Rilke drückt die Selbsterkenntnis dieser Auflösung aufrichtig und schön aus:

> Und wir, Zuschauer, immer, überall,
> dem allen zugewandt und nie hinaus!
> Uns überfüllt's. Wir ordnen. Es zerfällt.
> Wir ordnen's wieder und zerfallen selbst.

4

Repräsentative Epik und Dramatik der wilhelminischen Zeit

Wieder sind wir zeitlich vorausgeeilt, um Tendenzen in ihrer vollen Entfaltung deutlich zu machen. Es war notwendig, weil, wie früher gesagt, diese innere Verlorenheit und Zersetzung vom Schleier einer trügerischen gesellschaftlichen »Sekurität« überschattet ist und erst das Zerreißen dieses Schleiers in der Lyrik den Inhalt und den Stil von Epik und Dramatik in der wilhelminischen Epoche richtig erklärt. Die Tendenz zu einer solchen Verinnerlichung wird oft und scharf mit antigesellschaftlichem Akzent ausgesprochen. So sagt der Erzähler Hermann Stehr, das Schicksal habe »letzten Endes nichts mit dem äußerlichen Wohlergehen, nichts mit materiellen Erfüllungen zu tun«. Indem Stehr die in diesem Ausspruch steckende relative Wahrheit, daß nämlich das Schicksal eines Menschen im Innerlichen und Äußerlichen unter Umständen verschiedene Wege geht, ins Absolute verdreht, indem er alle gesellschaftlichen Probleme auf das vulgär-ökonomisch verstandene materielle Wohlergehen reduziert, bringt er diese Tendenz zu einem extremen, aber klaren theoretischen Ausspruch: »Nicht der Dichter, der sich zum Richter seiner Zeit aufwirft, nicht der Gesellschaftskritiker, nicht der revolutionäre Rhapsode oder Dramatiker kann bei solchen Maßstäben auf jene höchste Stufe der Dichtkunst gelangen, die, um nur einige Namen zu nennen, Sophokles, Dante, Shakespeare, Tolstoi oder Goethe erreicht haben. Alle diese dichteten nur, um den überzeitlichen Sinn unseres Daseins sich selbst und der Menschheit herauszustellen ...

Für einen solchen Dichter gibt es keine zeitgenössischen Probleme . . . Er will der Menschheit nur die Richtung zum Guten geben, dessen Entwicklung aber überläßt er dem ruhigen Rhythmus der Zeit.«

Das ist die Überzeugung vieler wichtiger und einflußreicher Schriftsteller dieser Periode. Sie sprechen ein Verhalten zur Kunst und zum Leben aus, das zwar im Zeitalter des Imperialismus überall zu beobachten ist, jedoch nirgends so stark wie in Deutschland zur herrschenden Tendenz der Literatur wird. Es erübrigt sich, ausführlich darüber zu sprechen, daß die von Stehr angeführten Beispiele falsch sind. Die von ihm als vorbildlich angeführten Schriftsteller haben sich mit ihren Werken fast immer leidenschaftlich an den Kämpfen ihrer Tage beteiligt. Daß der Inhalt dieser längst vergangenen Fehden uns heute oft nur mit Hilfe von Kommentaren zugänglich gemacht werden kann, daß die Wirkung vieler großer Kunstwerke der Vergangenheit sich scheinbar vom Boden ihrer sozialen und politischen Genesis loslöste, ändert nichts an der Tatsache, daß die Dichtungen von Sophokles aus den Kämpfen um die Auflösung der Geschlechterherrschaft, die von Dante und Shakespeare aus denen des sich selbst zersetzenden Feudalismus, die von Tolstoi aus den Einleitungskämpfen der russischen Agrarrevolution von der Bauernbefreiung bis zur Revolution von 1905, die von Goethe aus den Auseinandersetzungen der Periode vom Vorspiel der Großen Französischen Revolution bis zur Junirevolution entstanden sind. Und keiner dieser Dichter hat in diesen Streiten unparteiisch nur das »Ewige«, das »Zeitlose« gesucht, sondern ganz im Gegenteil sich konkret an den konkreten Kämpfen seiner Zeit beteiligt.

Noch wichtiger als eine solche Richtigstellung der historischen Tatbestände ist die Erkenntnis, daß jener dichterische Gehalt, der die sich immer erneuernde Wirkung der großen Schriftwerke gewährleistet, jener Appell an Momente der Menschlichkeit, die ganze Epochen überdauern, ohne Vermittlung des »bloß Zeitlichen« nie zustande kommen kann. Die dichterische Konkretheit und Tiefe verhält sich antäushaft zu den sozialen Problemen ihrer Gegenwart. Nur weil Antigone die Grablegung ihres Bruders dem Verbot Kreons zum Trotze als eine heilige »Forderung des Tages« empfindet, nur weil Lear das moralische Auseinanderbrechen der feudalen Gesellschaft an den eigenen Leidenschaften, den eigenen unmittelbarsten und persönlichsten Lebenszusammenhängen erlebt, konnten sie für die Nachwelt zu lebendigen und zugleich symbolisch-bedeutsamen, zu »ewigen« Gestalten erwachsen. Wer, wie Stehr, direkt nach dem »Ewigen« und »Zeitlosen« greift, umarmt eine Wolke. Denn einerseits ist dieses »Zeitlose« nur ein Moment, nur der letzte, allgemeinste Gehalt des Zeitgenössischen, ist also, von diesem künstlich losgelöst, eine inhaltlose Allgemeinheit. Die Dichter können im großen historischen Entfaltungsprozeß der Menschheit tiefere oder oberflächlichere Momente erfassen, und je nachdem wird ihr Werk eine dauernde oder vorübergehende Wirkung haben. Aber auch das Tiefste hat nicht aufgehört, historisch, zeitlich, zeitgebunden zu sein: Es fixiert eben für das Gedächtnis der Menschheit eine wichtige Etappe ihres Entwicklungsweges. Wie im einzelnen Menschen ein großes Kindheitserlebnis bis zu seinem Tode wirkend bleibt, ohne aufzuhören, ein Kindheitserlebnis zu sein, ja gerade mit dem Akzent des Kindheitserlebnisses: so leben im Menschengeschlecht die großen Werke der Dichtung weiter. Die »Ewigkeit« ihrer Wirkung ist unablösbar von der Historizität nicht nur ihrer Genesis, sondern auch ihres entscheidenden Gehalts, ihrer inneren Form. Andererseits muß jeder Schriftsteller, ob er will oder nicht, aus dem Problemstoff des Tages schöpfen und tut es immer, auch wenn er, wie Stehr, das Entgegengesetzte sucht. Dieser Drang aber entfernt ihn gerade von den konkreten Bestimmungen und Vermittlungen, die Menschen und Situationen schlagend und tief charakterisieren und wirklich konkretisieren. Man denke aus dem »Werther« die Tagesprobleme weg, angefangen von der Beziehung des Adels zu dem Bürgertum und von der rousseauisch-vorrevolutionären, die Revolution ideologisch vorbereitenden Kritik der zur Naturfremdheit erstarrten, spießbürgerlichen Gesellschaft bis zu den handlungsmäßig gewichtigen Beziehungen zu den prägnantesten geistigen Strömungen der Zeit, zu Goldsmith und Ossian, zu Klopstock und »Emilia Galotti«; hätte dann selbst die Liebesgeschichte – und der »Werther« ist viel mehr als eine bloße Liebesgeschichte – ihren seelischen, poetisch-moralischen Lebensreichtum erlangen können?

Gerade diese Abstraktion, diese Abwendung vom wirklichen Reichtum des Lebens aber wird von den meisten Schriftstellern des deutschen Imperialismus erstrebt. Es entsteht aus dieser »Zeitlosigkeit« eine dichterische Abkehr von der lebendigen, konkreten historischen Situation des deutschen Volkes. Je nach individueller Weltanschauung oder künstlerischer Veranlagung wird nun daraus entweder ein alle Formen, alle Gestalten und Situationen auflösender Psychologismus oder eine manchmal romantische (Ricarda Huch), manchmal klassizistische (Paul Ernst) Stilisierung der Wirklichkeit. Also entweder Formauflösung oder bis zu einem gewissen Grad ein neuer Epigonismus der Formen.

Indem die deutsche Literatur der Jahrhundertwende auf die sozialen Maßstäbe verzichtet, wird auch künstlerisch die Tradition auf dem Gebiet der Formen problematisch. In Ländern, deren Kunst demokratische oder gar revolutionäre Traditionen hat, werden die epischen und dramatischen Formprobleme mit den aus den großen gesellschaftlichen Kämpfen entstehenden ideologischen und moralischen Konflikten gewissermaßen spontan verknüpft. Damit erhält die Kontinuität auch der Formgebung, die aus der Thematik, aus der künstlerischen Durcharbeitung solcher Konflikte organisch herauswächst, eine für die Kunst äußerst günstige Spontaneität, wie im russischen Roman des neunzehnten Jahrhunderts, wo die gewaltigsten Form-Neuschöpfungen organisch aus der bewußt mitgemachten Gesamtentwicklung von Gesellschaft und Kunst herauswachsen. Damit gewinnt auch das Zurückgreifen auf frühere Entwicklungstendenzen eine über das bloß subjektiv Künstlerische, über das bloße Formexperiment hinausreichende sozial-weltanschauliche Bedeutung (Stendhal und Anatole France in ihrer Beziehung zur Aufklärung). In Deutschland waren in der älteren Blütezeit der Literatur solche Zusammenhänge, wenn auch viel problematischer, vorhanden. Die sozialen Bedingungen des neueren Deutschland zerreißen diese Zusammenhänge. Darum muß bei jeder Wendung eine »radikal neue« Kunst entstehen, vom Naturalismus zum Expressionismus und bis zur »neuen Sachlichkeit«. Und diese allgemeine Entwicklungstendenz wiederholt sich im kleinen bei fast jedem einzelnen Schriftsteller.

Stofflich weltanschaulich bedeutet Stehrs Anschauung ein Bekenntnis zur »organischen Entwicklung«: ein Hinnehmen des äußeren gesellschaftlichen Lebensrahmens, wie er eben ist, eine prinzipielle Versöhnung mit ihm; auch im Falle tiefer Unzufriedenheit Verzicht auf kämpferische Aktivität. So muß eine Bejahung des Imperialismus entstehen, eine Versöhnung mit ihm, die am häufigsten die Form einer sentimentalen oder zynischen Resignation annimmt.

All dies bedeutet nicht das Fehlen einer jeden Oppositionsstimmung in der deutschen Literatur dieser Zeit. Sie ist da, erhält aber verzerrte Formen. Der Komplex, gegen den schriftstellerisch angerannt wird, löst sich vom Gesamtleben der Gesellschaft, gewinnt ein scheinbares dichterisches Eigenleben und wird auf diese Weise fetischisiert. Das kann unter Umständen mit großer literarischer Kraft durchgeführt werden und einen eigenartigen Stil hervorbringen. Am gelungensten erscheint eine solche Tendenz in der Satire und der Karikatur. Die Wurzel ihres Stils ist die groteske Diskrepanz zwischen Erscheinung und Wesen. Die künstlerische Kraft der karikaturistischen Gestaltung hängt teils von der Tiefe des Erlebens der Diskrepanz, von ihrer visionär richtigen Erfassung in der Erscheinung ab, teils aber davon, wieweit das Wesen selbst inhaltlich (also sozial) richtig erfaßt ist.

Es ist klar, daß scharfe oppositionelle Stimmungen notwendig diesen Weg gehen mußten. Ihr hervorragendster Vertreter in der deutschen Literatur ist Frank Wedekind. Er hat für die dramatische Szenik neue Ausdrucksmittel, neue, tiefwirkende Reize aus der Verwandlung des kapitalistischen Alltags ins Groteske geschaffen, wobei diese Verwandlung eine scharf kritische, leidenschaftliche Enthüllung ist: die Wesenlosigkeit, die Unnatur wird mit gewaltiger sinnlicher Wucht gestaltet.

Aber in der Grundlage von Wedekinds Karikaturistik liegt eine ihm unbewußt gebliebene Mystifikation. Wie viele bedeutende moderne Schriftsteller, vor allem Strindberg, stellt Wedekind den Widerspruch zwischen dem erotisch-sexuellen Leben des Individuums und der bürgerlichen Gesellschaft mit ihren Gesetzen, Sitten und Konventionen in den Mittelpunkt seines Schaffens. Während aber Strindberg in seiner Blütezeit, wenn auch mit einer hartnäckigen Einseitigkeit, auf das ganze Problem ausgeht, löst sich bei Wedekind das Elementare, vor allem das Sexuelle, aber auch alles andere Instinktmäßige am Menschen, aus dem Gesamtzusammenhang heraus, stellt sich als selbständige Macht der Welt, der Gesellschaft, die als starres System toter und tötender Konventionen erscheint, abstrakt gegenüber. Aus solchen schiefen Kontrasten heraus gestaltet nun Wedekind. Dieser Drang zum Elementaren läßt ihn bewußt gegen die Kunst seiner Zeit auftreten. So sagt er im Prolog zum »Erdgeist«:

Was seht ihr in den Lust- und Trauerspielen?! –
Haustiere, die so wohlgesittet fühlen,
An blasser Pflanzenkost ihr Mütchen kühlen
Und schwelgen in behaglichem Geplärr;
Wie jene anderen – unten im Parterre;
Der eine Held kann keinen Schnaps vertragen,
Der andere zweifelt, ob er richtig liebt,
Den dritten hört ihr an der Welt verzagen,
Fünf Akte lang hört ihr ihn sich beklagen,
Und niemand, der den Gnadenstoß ihm gibt. –
Das wahre Tier, das wilde, schöne Tier,
Das, meine Damen! – sehn Sie nun bei mir.

Man hat Wedekind als unmoralischen Schriftsteller verfolgt. Sehr zu Unrecht. Es ist bei ihm eine echte, tief empfundene Rebellion gegen das Erstarrte und Verlogene im modernen bürgerlichen Leben vorhanden, und dies kommt mit einem subjektiv echten moralischen Pathos, einer radikalen Auflehnung, mit wirklich künstlerischer Kraft zur Darstellung. Aber die verzerrte Grundlage des Ausgangspunktes verzerrt die künstlerische Zeichnung.

Wedekind spürt mit Recht, daß die neuere deutsche Literatur »viel zu literarisch« ist. Er sagt: »Wir kennen keine anderen Fragen und Probleme als solche, die unter Schriftstellern und Gelehrten auftauchen ... Um wieder auf die Fährte einer großen, gewaltigen Kunst zu gelangen, müßten wir uns möglichst viel unter Menschen bewegen, die nie in ihrem Leben ein Buch gelesen haben, denen die einfachsten animalischen Instinkte bei ihren Handlungen maßgebend sind.« Hier wird der falsche Kontrast deutlich: zwischen den Polen der literarischen Lebensferne und der ungehemmten Herrschaft des Animalischen verschwindet die ganze gesellschaftliche Welt. Und je mehr Wedekind in berechtigter Abwehr gegen die Anklage der Immoralität ankämpft, je mehr sein moralisches Pathos unmittelbar zum Ausdruck kommt (Periode seit »So ist das Leben«), desto tiefer sinkt seine Kunst. Das falsch aufgefaßte »Wesen« tritt immer stärker in den Vordergrund und erdrückt immer mehr die oft noch treffenden satirischen Einzelzüge. Es entsteht ein formell grotesker, inhaltlich verzerrter und verworrener, tief prosaischer Utopismus.

Wie sehr das richtige Erfassen des Wesens die künstlerische Grundlage jeder wirklich echten und großen Satire und Karikatur bildet, zeigt die Entwicklung ihres größten deutschen Meisters in dieser Periode, Heinrich Manns. Heinrich Mann nimmt weltanschaulich in Deutschland eine isolierte Sonderstellung ein: er ist ein tief überzeugter Demokrat, in wachsendem Maße klarer demokratischer Kritiker der wilhelminischen Periode.

Schon seine Frühwerke, wie »Im Schlaraffenland«, zeigen die Kraft und Wahrheit seiner satirischen Verzerrung in der inhaltlich bedingten sozialen Richtung. Eine karikaturistische Monumentalität erhält seine Zeichnung in »Professor Unrat«, wo der Philister der wilhelminischen

Periode, der ursprünglich – wie es im gewöhnlichen Leben typisch zu geschehen pflegt – seine unterdrückten, verkrüppelten, sklavisch-sklavenhalterischen sadistischen Instinkte nur an den ihm unmittelbar Ausgelieferten, an seinen Schülern, betätigen kann und dann durch eine virtuos behandelte, groteske Handlungsführung dazu gebracht wird, der ganzen »guten Gesellschaft« seiner Stadt seine Macht sadistisch-grotesk fühlbar zu machen.

Es ist ein grausiges, aber im Innersten lebenswahres Bild dieser Zeit. Die romanisch-demokratischen Traditionen, die in Heinrich Manns Weltanschauung und Schaffen wirksam sind, führen ihn künstlerisch über die Schranken des deutschen geistigen Naturalismus, gesellschaftlich-denkerisch über die falsche und enge deutsche Auffassung des Philisters hinaus. Freilich herrscht noch bei Goethe, E. T. A. Hoffmann und Keller die alte, richtige demokratische Auffassung: der Philister, und zwar sowohl der stumpfe wie der überspannte, sowohl der konventionell erstarrte wie der exzentrisch hüpfende, muß bekämpft werden als Hemmnis auf dem Wege der Menschheit zu Freiheit und Fortschritt. Erst die deutsche Romantik hat den Begriff des Philisters zu dem des Banausen verengt; der gesellschaftliche Gegner wurde vom rein intellektuellen, vom zünftlerisch literarischen Standpunkt als der stumpf Unempfindliche, Unbegabte verhöhnt. Diese Auffassung beherrscht auch die Literatur der imperialistischen Periode. Heinrich Mann aber ist ein Anti-Spießer im Sinne der Französischen Revolution, die es unternahm, nicht nur den Aristokratismus, sondern auch das Philistertum auszurotten.

Diese Auffassung kommt am klarsten zum Ausdruck im Meisterwerk seiner Vorkriegsperiode, im »Untertan«. Hier ist das abschließende Bildnis des Durchschnittsdeutschen im Vorkriegsimperialismus gegeben, eine karikaturistische Variation über das Thema des Ausspruchs von Wilhelm II.: »Ich führe euch herrlichen Zeiten entgegen!« Die Hauptfigur ist auch in ihren äußeren Zügen eine Karikatur von Wilhelm II. Mit Recht, denn dadurch kommt die Grundlage seiner Popularität in den Massen des deutschen Spießertums zum Ausdruck: Herrscher wie Beherrschte sind feig und tyrannisch, furchtsam und sadistisch, kleinlich, schlau und phrasenberauscht. Heinrich Mann gestaltet hier jene Wesenszüge, die dem Kaufmann wie dem Intellektuellen gemeinsam sind. Es ist, nach Marx' Worten, eine prophetische Gestalt, denn man kann sagen, daß die meisten Züge, die beim Deutschen der faschistischen Periode epidemieartig zum Vorschein kamen, hier bereits sichtbar gemacht werden. Bei anderen Schriftstellern ist die seelische Unterwelt der wilhelminischen »Sekurität« ungewollt und unbewußt hervorgebrochen, hier wird sie mit der bewußten Absicht der Abschreckung, mit dem Ruf zur Umkehr aufs Postament gestellt.

»Der Untertan« gibt keine Genesis, keine Vorgeschichte des Typus des wilhelminischen Menschen. Mit Recht. Dies würde die klare Linienführung der Satire stören. Es wird nur diskret angedeutet, daß der Angriff nicht dem Deutschen an sich gilt, sondern sich gegen das Produkt einer sozial degenerativen Entwicklung richtet. Die Vorgeschichte konnte Heinrich Mann um so leichter weglassen, als sein Bruder Thomas Mann in den »Buddenbrooks«, in der Geschichte einer Kaufmannsfamilie, die innere und äußere Geschichte des deutschen Bürgers bis zum Vorabend des radikalen kapitalistischen Aufschwungs unvergleichlich gestaltet hat. Während in dem »Untertan« Überreste des alten Bürgertums nur am Vergangenheitshorizont auftauchen, erscheinen die modernen Typen bei Thomas Mann als Zukunftsperspektive der

Zerstörung des alten humanen und kulturellen Deutschlands. Thomas Mann hat seinen Roman streng objektivistisch gestaltet, in dieser Frage jedoch ist seine Stellungnahme klar ersichtlich: seine volle Sympathie ist auf der Seite der überfahrenen, beiseite gestoßenen alten Typen, die das neue rücksichtslos brutale, gewissenlos schwindlerische Geschlecht ökonomisch vernichtet.

Die reaktionäre Kritik sieht vor allem in Thomas Mann den Dichter der »Sekurität«. Er ist es, aber in einem völlig anderen Sinn als Stefan George. Freilich stehen auch für ihn – mit Ausnahme der »Buddenbrooks« – die inneren Probleme der in der »Sekurität« lebenden Intellektuellen und nicht die unmittelbar sozialen Probleme der Periode im Mittelpunkt. Aber erstens idealisiert er diesen Zustand nie, sondern deckt seine unlösbare Problematik auf. Zweitens entfernt er sich schon dadurch von jeder ästhetischen Stilisierung des Bestehenden, daß die von ihm gestaltete Problematik eine moralische, und zwar eine sozialmoralische ist: wie kann man in einer solchen Welt, mit einer so gearteten Innerlichkeit ein menschliches Leben führen? Die Antwort Thomas Manns ist negativ.

Es wäre oberflächlich, zu glauben, daß er vor allem oder gar ausschließlich die Problematik des Künstlers in der modernen bürgerlichen Gesellschaft gestaltet. Der Roman »Königliche Hoheit« zeigt deutlich das Gegenteil: Kunst, Künstlertum sind für ihn nur die zugespitzte Gestalt, die konzentrierte Reinkultur eines moralischen, eines allgemeinen gesellschaftlich-menschlichen Problems der Epoche. Der Geist (die Kunst) hat sich vom Leben entfernt, diese Lage ist mit individuellen Kräften nicht zu ändern, und es gilt nun, wie man diesen Weg zu Ende gehen kann. Wer hier nicht über die nötige Strenge gegen sich selbst verfügt, zerfällt, löst sich auf. Wer den

Weg konsequent zu Ende geht, erstarrt menschlich in der Eisregion der Isoliertheit, der Unmenschlichkeit.

Wir haben hier keinen Raum, um die reiche Dialektik der verschiedenen Lösungen dieses Problems auch nur anzudeuten. Auch darauf können wir nur kurz hinweisen, daß Thomas Mann in seiner künstlerischen Weltanschauung überall über die Schranken des geistigen Naturalismus hinausgeht (obwohl er in der Vorkriegszeit und während des Krieges politisch und philosophisch stark von spezifisch deutsch-imperialistischen Ideologien, von Nietzsches Antidemokratismus usw., beeinflußt ist), daß er in seinen Kunstprinzipien mehr mit einigen älteren deutschen Überlieferungen und mit dem skandinavischen und russischen Realismus als mit dem Stil seiner deutschen Zeitgenossen verbunden ist.

Thomas Manns männlicher Stil will vor der Notwendigkeit der Selbstauflösung nicht ohne weiteres kapitulieren, aber ebensowenig will sich sein lebhaftes Gefühl für die brüderliche Gleichheit aller Menschen vor dem kalten und harten Aristokratismus des l'art pour l'art, vor der Moral des Elfenbeinturmes beugen. Aus diesem – von seinen damaligen gesellschaftlich-weltanschaulichen Voraussetzungen aus – unlösbaren Problem rettet sich Thomas Mann zeitweilig durch eine Bejahung der preußischen Strenge der Pflichterfüllung, der preußischen »Haltung«. Es ist ein Notausgang aus einem falschen Dilemma, wohin die allgemeinen, vom Dichter damals weltanschaulich noch nicht durchschauten Tendenzen seiner Epoche führten.

Aber der Dichter Thomas Mann ist, unbewußt, vielleicht sogar ungewollt, ein tieferer und richtigerer Gesellschaftskritiker als der Denker. Er schafft nicht allzulange vor Kriegsausbruch eine Gipfelgestalt seiner erträumten preußischen »Haltung«: den Helden der Novelle »Der

Tod in Venedig«. Thomas Mann tritt hier das Erbe der Gesellschaftskritik Theodor Fontanes an, er erweitert sie jedoch zur Kritik der inneren Verpreußung der ganzen deutschen Intelligenz. Und er stellt dar, daß diese »Haltung« zwar hart und starr den Menschen von der gesellschaftlichen Umwelt abschließt, ihm den Schein und die Selbsttäuschung seines inneren moralischen Gefestigtseins gibt, daß aber die kleinste Erschütterung ausreicht, um die bloß abgedrängte und künstlich niedergehaltene, aber nicht erkannte und moralisch überwundene seelische Unterwelt, das barbarische und bestialische Chaos frei zu machen: die schmutzigen Wellen dieses Chaos schlagen über seinem Haupt zusammen und brechen mühelos die Scheinbarriere der »Haltung«.

Was bei George und Rilke ab und zu, halb unbewußt, herausbricht, was Wedekind mit schauderndem Entzücken verherrlicht, was Heinrich Mann in offener Polemik anprangert, siegt hier über den letzten Versuch des größten Schriftstellers der Periode, es mit inneren, seelischen, von der Gesellschaft losgelösten, undemokratischen, nur innerlich moralischen Mitteln zu bewältigen. Die »Sekurität« des Wilhelminismus erweist sich als eine dünne Erdschicht, unter der der ungebändigte Vulkan der Barbarei, das moralische Chaos, jederzeit zum Ausbruch bereit, brodelt.

5

Der erste Weltkrieg und der Expressionismus

Der Ausbruch des ersten imperialistischen Krieges hat in Deutschland die gesamte Intelligenz, darunter auch die Schriftsteller zu Begeisterung hingerissen. Heinrich Mann, Leonhard Frank, Johannes R. Becher und wenige andere gehörten zu den rühmlichen Ausnahmen, die von Anfang an gegen den imperialistischen Krieg Stellung genommen haben. Waren die anderen deshalb alle wirklich bedingungslos Bejaher der deutschen imperialistischen Aggression, wie man dies aus der Einmütigkeit und dem Inhalt ihrer Kriegsschriften annehmen könnte? Eine glatte Bejahung dieser Frage wäre eine Vereinfachung. Gerade hier steht das spezifisch deutsche Intellektuellenproblem vor uns: die Wehrlosigkeit in allen ideologischen Fragen der Reaktion gegenüber. Ihre Ursache ist vor allem die Entfremdung von den wirklich gesellschaftlichen Problemen, von der wirklichen Einsicht in gesellschaftliche Zusammenhänge in einem Grade, wie das in keinem anderen zivilisierten Lande der Welt der Fall ist. Ricarda Huch hebt bei einer als sympathisch und klug geschilderten Heldin lobend hervor, daß diese nie Zeitungen liest, und Ernst Wiechert spricht vom Zeitungslesen geradezu als vom »stillen Laster« unserer Zivilisation. Auf diese Weise sind solche Intellektuelle der reaktionären Demagogie in einem Grade ausgeliefert, der in Ländern mit einer lebendigen (wenn auch, wie im zaristischen Rußland, unterirdischen) politisch-sozialen öffentlichen Meinung unmöglich ist. Dazu kommt die von uns in verschiedenen Typen aufgezeigte tiefe innere Unsicherheit, das Gefühl der Weg- und Ziellosigkeit in dieser scheinbar so schönen und gefestigten Welt der »Sekurität«.

Wenn nun das wilhelminische Regime bei Kriegsausbruch an den Patriotismus des von der ganzen Welt »angegriffenen« Deutschtums appellierte, wenn der Kaiser erklärte: »Ich kenne keine Parteien mehr, ich kenne nur noch Deutsche!«, so glaubte man ihm willig, nicht nur deshalb, weil eine spießerische Knechtseligkeit seit einem halben Jahrhundert anerzogen war, sondern weil das Neue am Kriege, das Untertauchen in einer nationalen, dem Volk verbundenen Gemeinschaft einen Ausweg aus den unlösbaren Konflikten der Vorkriegszeit zu weisen schien. Wenn man etwa die unmittelbaren Dokumente der Kriegsteilnehmer, vor allem die Briefe junger Intellektueller liest, so kann man sehen, daß dieses Gefühl durchgehends den Unterton bei sonst klugen und feinfühlenden Kriegsbegeisterten bildete. Freilich, wo sich dieses zur Weltanschauung erhob – und die Makulatur solcher ad-hoc-Philosophie und ad-hoc-Geschichte füllt Bibliotheken und trägt die besten Namen der deutschen Literatur und Wissenschaft –, findet es sein theoretisches Fundament in der von uns bereits hervorgehobenen angeblichen Überlegenheit des preußisch-deutschen Obrigkeitsstaats über die westlichen Demokratien. Es kämpfen »Helden« wider »Händler« (Sombart); es sollen die Ideen von 1914 gegen die von 1789 durchgesetzt werden (Plenge).

Wenige Schriftsteller der älteren Generation traten gegen diese Überflutung der deutschen Geistigkeit mit der groben, verlogenen und entstellenden Ideologie des aggressiven deutschen Imperialismus, der Weltherrschaftsbestrebungen von Hohenzollern-Deutschland auf. Dagegen erhob sich – zum erstenmal seit den achtziger Jahren – wieder heftig und leidenschaftlich die literarische Jugend: als Verfechter des militanten Expressionismus.

Man soll Parallelen nie überschätzen und überspannen; man kommt dabei zu falschen Schlußfolgerungen. Immerhin äußern sich in dieser Parallelität bestimmte typisch deutsche Züge, die man bei aller Beachtung der gerade so wichtigen Unterschiede und Gegensätze nicht außer acht lassen darf. Typisch ist vor allem, daß wiederum eine »radikal neue« Kunst verkündet wird, ein vollständiger Bruch mit allen literarischen Überlieferungen. Freilich sind die objektiven Umstände in der Literatur – um vorerst bei dieser zu bleiben – grundlegend andere geworden. Wenn die »literarische Revolution« des Naturalismus gegen die Pseudokunst der Wildenbruch und Baumbach einen unnachsichtigen Krieg führte, so hat sie damit objektiv die deutsche Literatur aus dem Morast der Bismarckschen Reichsgründungs-Poesie gerettet. Die »literarische Revolution« des Expressionismus aber richtete sich gegen ein Schrifttum, dessen literarischer Rang unzweifelhaft beträchtlich war – mag seine Rolle als Wegweiser, als »praeceptor Germaniae« noch so kläglich gewesen sein. Daß bei diesem Unterschied der literarischen Lage die Revolte der expressionistischen Jugend sich weitgehend auf das Schaffen einer »radikal neuen« Kunst richtete, ist ein Zeichen für ihre zentrale ideologische Schwäche: ihren Mangel an Einsicht in die entscheidenden Gebrechen und Schranken der neueren deutschen Literatur. War schon im Naturalismus die Konzentration auf die Probleme der »radikal neuen« Technik eine Verengung, so gilt das jetzt noch weit mehr. An die Stelle der theoretischen und praktischen Formexperimente von Holz und Schlaf treten nun Legionen von Experimentatoren.

Indem so der Hauptakzent auf das Formal-Künstlerische, von der Vergangenheit Unterscheidende gelegt wurde, übersahen die jungen Dichter, wie wenig sie die Schwächen und Begrenztheiten in der Gefühls- und Gedankenwelt der vorangegangenen Generation wirklich überwunden hatten, wie tief sie selbst noch mit dieser Welt, in der die Menschen hoffnungslos verloren sind (in der undurchschauten imperialistischen Wirklichkeit Deutschlands), innerlich verbunden waren. Wir illustrierten dies an drei individuell wie dichterisch sehr verschiedenen Persönlichkeiten. Wenn etwa Johannes R. Becher sich fragt:

> Bin ich zerbröckelnde Mauer,
> Säule am Wegrand, die schweigt?
> Oder Baum der Trauer,
> Über den Abgrund geneigt?

und darauf die Antwort gibt

> Ja –, verfaulter Stamm . . .,

wenn Albert Ehrenstein über Lebens- und Todesmüdigkeit klagt:

> Und ob die großen Autohummeln sausen,
> Aeroplane im Äther hausen,
> Es fehlt dem Menschen die stete, welterschütternde
> Kraft.
>
> Er ist wie Schleim, gespuckt auf eine Schiene . . .
> Die brausenden Ströme ertrinken machtlos im Meer.
> Nicht fühlten die Siouxindianer in ihren Kriegstänzen
> Goethe,
> Und nicht fühlte die Leiden Christi der erbarmungslos
> ewige Sirius!

Nie durchzuckt von Gefühl,
Unfühlend einander und starr
Steigen und sinken
Sonnen, Atome: die Körper im Raum,

wenn Georg Heym die Morgue besingt:

Wir zogen aus, gegürtet wie Giganten,
Ein jeder klirrte wie ein Goliath.
Nun haben wir die Mäuse zu Trabanten,
Und unser Fleisch ward dürrer Maden Pfad.

Was fanden wir im Glanz der Himmelsenden?
Ein leeres Nichts. Nun schlappt uns das Gebein,
Wie einen Pfennig in den leeren Händen
Ein Bettler klappern läßt am Straßenrain –.

wo ist hier ein prinzipiell neuer dichterischer Gehalt Rilke und den anderen Dichtern der Verlorenheit der Menschen im Leben gegenüber? Es handelt sich hier nicht darum, ob einzelne Bilder, einelne Rhythmen neben manchem Wust der gewollt abstrahierenden Übertreibung, neben einer ausgeklügelten Atelierbombastik nicht auch Originelles und dichterisch Wertvolles enthalten. Ohne Frage ist auch dies im Expressionismus da, freilich in viel bescheidenerem Ausmaße, als man damals geglaubt und verkündet hat. Eine historische Übersicht wie die unsere muß jedoch jeder »literarischen Revolution« die Frage stellen: welchen neuen menschlichen und gesellschaftlichen Gehalt hat sie offenbart? Worin hat die in ihr zutage tretende neue künstlerische Physiognomie einer jungen Generation zur Aufhellung der Wege der deutschen Nation beigetragen? Und dieses Ergebnis ist im Expressionismus mehr als dürftig.

Noch deutlicher ist das in der expressionistischen Dramatik zu sehen. Von der Theorie wollen wir gar nicht reden, die von Gedankenfragmenten aus Husserl, Bergson usw. erfüllt ist und etwa im freilich etwas abseitigen Dadaismus die schlechteste nihilistische Zynik der imperialistischen Periode variiert. Georg Kaisers Drama »Von morgens bis mitternachts« ist szenisch wie dialogisch sicher originell. Ist es aber in seinem letzten Gehalt mehr als eine formal neue Darstellung des vom »Milieu« hoffnungslos aufgefressenen kleinen Mannes, wie dies in und seit dem Naturalismus unzähligemal gestaltet wurde? Oder worin führt Hasenclevers »Sohn« über ähnliche Vater-Sohn-Konflikte seit dem Naturalismus und seinen Folgen ideell oder sozialpsychologisch hinaus? Und so weiter und so weiter.

Dies alles wäre noch kein entscheidender Einwand gegen den Expressionismus; eine Periode stellt eben ihre Probleme, und die Dichter müssen sich, bewußt oder unbewußt, mit diesen auseinandersetzen. Es handelt sich aber nicht so sehr um die großen objektiv gesellschaftlichen Menschheitsprobleme – bei diesen ist Fortsetzung geradezu dichterische Pflicht –, sondern darum, daß jene spezifisch deutsche ideologische Verzerrung der Probleme, die wir für den wilhelminischen Imperialismus wiederholt festgestellt haben, gerade in ihrer Verbogenheit und Schiefheit unkritisch übernommen, nicht ideologisch zurechtgerückt wurde. Diese Korrektur erforderte eine gründliche Revision des gesellschaftlich-menschlichen Gehalts. Der Expressionismus aber übernahm – unbewußt – die seelische Verzerrung aus dem nur formal abgelehnten Erbe und konzentrierte seine Kritik und sein Interesse ausschließlich auf – im Vergleich zu dieser Frage – zweitrangige Probleme des formalen Ausdrucks. Zweitrangig auch in entscheidend künstlerischer Hinsicht; denn die ganze Einstellung der Expressionisten hat zur notwendigen Folge, daß sie, in dem Sinn, wie wir es früher auseinandergesetzt haben, geistig-weltanschaulich nicht über die naturalistische Schranke hinausgekommen sind.

Freilich ist etwas wirklich Neues insofern da, als der Expressionismus, in seinen wesentlichen Vertretern, tatsächlich eine scharfe Oppositionsliteratur ist. Hier ist wieder die von uns bereits wiederholt behandelte Mißlichkeit der deutschen Lage sichtbar: oppositionell sein heißt soviel wie »Sozialist« sein. Das deutsche Bürgertum vermochte auch im Krieg keine prinzipielle Opposition gegen den Imperialismus herauszubilden, die imstande gewesen wäre, den längst überfälligen demokratischen Umbau Deutschlands zu vollziehen, der deutschen Misere ein Ende zu bereiten oder wenigstens diesen Prozeß ideologisch vorzubereiten. Die Sozialdemokratie in ihrer Mehrheit machte den imperialistischen Krieg mit, und später begnügten sich die Mehrheitssozialisten mit oberflächlichen demokratischen Ornamenten und ließen alles Wesentliche des alten Systems nicht nur fast unberührt bestehen, sondern gaben der Reaktion in der Nachkriegszeit in weitem Umfang die Möglichkeit, ihre Kräfte zu konzentrieren und ihre Diktatur vorzubereiten. Nur die revolutionäre Linke nahm eine entscheidende Position gegen den imperialistischen Krieg ein und unternahm heroische Versuche, die reaktionären Mächte in der Nachkriegszeit zu brechen.

Die mit dieser Links-Bewegung sympathisierende literarische Jugend gab ein verworren utopisches, manifestierend-lyrisches Bild der Zerfahrenheit der deutschen Zustände. Dieses Bild jedoch ist so abstrakt, daß seine Lebensfremdheit, wenn man es nicht ganz isoliert, also ästhetenhaft betrachtet, sondern es auf die wirkliche Tragödie bezieht, deren dichterischer Ausdruck es zu sein prätendiert, als Karikatur erscheint. Ich führe nur Bechers »Hymne auf Rosa Luxemburg« an:

> O Würze du der paradiesischen Auen:
> Du Einzige! Du Heilige! O Weib! –
> Durch die Welten rase ich –:
> Einmal noch deine Hand, diese Hand zu fassen:
> Zauberisches Gezweig an Gottes Rosen-Öl-Baum.
> Wünschel-Rute dem Glück-Sucher.

So fällt äußerst selten ein dichterisches Wort, selten wird, wenn auch nur flüchtig, angedeutet, daß sich hier eine tragische Schicksalswende des ganzen deutschen Volks abspielt, daß Deutschland wieder, wie im Jahre Achtundvierzig, seinen Weg verfehlt, die Tür zu einer Erneuerung nicht aufgeschlagen hat.

Das aber ist die Aufgabe der Dichtung in allen Perioden, und sie wurde nicht zuletzt von der russischen Literatur erfüllt. Freilich hat in dieser großen Krise nicht nur die deutsche Literatur versagt; das mag für den einzelnen Dichter als Entschuldigung dienen. Wenn jedoch die ganze expressionistische Bewegung die bisherige Abbildung der Wirklichkeit durch die Literatur ablehnte, um an ihre Stelle ein pathetisch verkündetes dichterisches Prophetentum zu setzen, so enthüllt der Vergleich von subjektivem Ausdruck und objektiv historischem Tatbestand, daß sich diese »literarische Revolution« nur auf dem Papier, nur in Formexperimenten von Literatenkreisen auslebte, ohne durch Gestaltung des tiefsten Gehalts der wirklichen Probleme der Epoche in das Leben des Volkes selbst aufklärend und Dunkelheiten erhellend einzugreifen.

6

Die Weimarer Periode

Es ist leicht verständlich, daß das Ende der revolutionären Welle zugleich das Ende des Expressionismus bedeutete. Hier ist die dritte Parallele zur literarischen Bewegung des Naturalismus. Eine Abkehr vom Sozialismus und – dies ist entscheidend – mit ihr eine Abkehr von der oppositionellen Aktivität, von der revolutionären Kritik setzt ein. Der expressionistische Dramatiker Paul Kornfeld, in der früheren Periode einer der lautesten Rufer im Streit, schreibt jetzt: »Nichts mehr von Krieg und Revolution und Welterlösung! Laßt uns bescheiden sein und uns anderen, kleineren Dingen zuwenden ... einen Menschen betrachten, eine Seele, einen Narren, laßt uns ein wenig spielen, ein wenig schauen und, wenn wir können, ein wenig lachen oder lächeln!« Oder Walter Hasenclever, der Verfasser des Stücks »Der Sohn« und des Manifestes »Der politische Dichter«, wandelt sich zum Anhänger Swedenborgs und bringt Geistererscheinungen auf die Bühne.

Dabei ist bemerkenswert – und dies schränkt die Parallele wiederum ein –, daß mit 1918 die Periode der »Sekurität« aufhört. Wir haben gesehen, was der menschliche Gehalt dieser apolitischen und antipolitischen wilhelminischen »Idylle« gewesen ist. Sie ist aber nach dem Abflauen der akuten Revolution auch in dieser höchst problematischen Form nicht mehr zurückgekehrt.

Schneller, energischer und zielklarer als die fortschrittliche Literatur rüstete die reaktionäre um. Diese Entwicklung ging teilweise sogar spontan vor sich; erleichtert durch die unbeabsichtigte Hilfe einer Gruppe des linken Schrifttums, die sich aus der Verständnislosigkeit für spezifisch deutsche Probleme ergab.

Die in der Mitte der zwanziger Jahre aufkommenden Kriegsromane waren zu einem beträchtlichen Teil von linksstehenden Autoren verfaßt mit der Absicht, gegen jeden kommenden Krieg zu wirken. In ihrer Gesamtwirkung waren diese Bücher jedoch der Vorbereitung eines neuen Krieges ideologisch eher fördernd als abträglich. Wieder spielt dabei die verhängnisvolle Abstraktheit der deutschen Literatur eine entscheidende Rolle. Man muß vielleicht nicht besonders hervorheben, daß diese Abstraktheit in der grundlegenden Fragestellung keineswegs die Konkretheit und Lebendigkeit der einzelnen Szenen, mitunter der ganzen Vordergrundshandlung ausschließt, ja diese geradezu voraussetzt, da auf die Dauer nur durchgestaltete Werke eine tiefere Wirkung auszuüben vermögen.

Abstrakt in diesem Sinne ist also, wenn der Krieg wie ein sinnloses Schicksal herniederfährt, wenn – mit noch so großer Darstellungskraft – nur die Greuel des Krieges gestaltet werden. (Wie dies auch in den besten solcher Romane, bei Renn und Remarque, geschieht.) Und wenn dann als menschlicher Ausgleich dieser Sinnlosigkeit, dieser Schrecken des Krieges moralische Tugenden (Kameradschaft, Solidarität) gezeigt werden, wie sie das Frontleben mitbringt, so entsteht in dem zur Abschreckung vor dem Krieg gestalteten Bild etwas, was – gemessen an dem Egoismus des friedlichen Alltagslebens – seelisch sogar anziehend wirken kann.

Gerade da knüpfen die literarisch begabten Vertreter der Reaktion an. Ernst Jünger, der als Repräsentant dieser Richtung figurieren mag, übertrifft in der Schilderung der Scheußlichkeit der »Materialschlacht« oft manchen linken Kriegsgegner. Da er aber Menschen gestaltet, die dieser Fürchterlichkeit tapfer trotzen und durch persönlichen Mut, durch eiserne Selbstbeherrschung über alle Greuel innerlich triumphieren, entsteht durch ihn und ähnliche Schriftsteller eine Literatur, in der der kommende Krieg als heroisch anziehend, den Menschenwert erhöhend, die Moral erprobend, die Vaterlandsliebe bewährend in Erscheinung tritt. Und diese angebliche moralische Höhe der deutschen Kriegsteilnehmer wird nun der Niedrigkeit und der prosaischen Schlechtigkeit der Friedenszeit in der Weimarer Demokratie polemisch gegenübergestellt. Das so geschilderte »Fronterlebnis« ist als seelische Grundlage der kommenden »Erneuerung Deutschlands« gedacht.

Der Angriff der Reaktion aber wird in einer viel breiteren Linie vorgetragen. Das »Fronterlebnis« der reaktionären Kriegsliteratur gibt erst die allgemeine moralische Grundlage zum reaktionären Angriff gegen die pazifistische Weimarer Demokratie, zur reaktionären Umkrempelung Deutschlands. Das Elend breiter Massen im Nachkriegsfrieden, ihre ökonomische Enttäuschung durch die Weimarer Republik wird nicht nur von der sozialen Demagogie der direkten faschistischen Propaganda ausgenützt, es entsteht auch eine Literatur der Verherrlichung der imperialistischen Expansion selbst als angeblicher Erfüllung der tiefsten Bedürfnisse und Wünsche des deutschen Volkes: eine Literatur, die demagogisch bewußt daran arbeitet, den neuen Versuch einer deutschen Welteroberung als Weg zur Erneuerung, zum inneren und äußeren Aufschwung des deutschen Volks darzustellen. Es genügt, dabei auf Hans Grimms »Volk ohne Raum« hinzuweisen, einen Roman, der – obwohl er sich künstlerisch nicht allzu hoch über die »Heimatkunst« erhebt – nicht zufällig und nicht ohne »Verdienste« von Rosenberg zum klassischen Werk des

Hitlerismus proklamiert wurde. Die sogenannten historischen Romane, wie die von H. F. Blunck, ergänzen diese Linie, indem sie die Sehnsucht nach »Lebensraum« in die Vergangenheit projizieren und den Kampf um diesen als wesentlichen Inhalt der deutschen Geschichte zur Anschauung zu bringen suchen.

Welche menschlichen und gesellschaftlichen Kräfte mobilisiert nun die fortschrittliche Literatur zum Schutz von Frieden und Freiheit gegen den wachsenden Ansturm des reaktionären Chauvinismus? Wir haben hier keine Ursache, vom abstrakten Pazifismus ausführlich zu sprechen; er erhielt in der Nachkriegszeit kaum eine einigermaßen wirkungsvolle dichterische Verkörperung. In der Verteidigung der Demokratie gegen die nahende Tyrannei ist ein großer Teil der fortschrittlichen Schriftsteller vor allem gehemmt durch die Enttäuschung, die die Weimarer Demokratie ökonomisch und ideologisch gebracht hat. Auch literarisch ist hier eine Republik ohne Republikaner entstanden. Sie konnte, so wie sie war, wenig Begeisterung hervorrufen, und das durch Krieg und Niederlage zutiefst durchschüttelte deutsche Volk hungerte auch geistig nach einem Inhalt, der seinem Leben einen neuen Sinn hätte geben können. Diese Erneuerung hat die Weimarer Demokratie nicht gebracht. Bald fühlte man, daß im Grunde sich nicht allzuviel verändert habe.

Es fällt auf, daß die ganze Weimarer Periode nur ein bedeutendes Werk hervorgebracht hat, worin die Frage der Demokratie als Frage der Weltanschauung aufgeworfen wurde: Thomas Manns »Zauberberg«. Die Erschütterung des Kriegsendes hat bei Thomas Mann einen völligen Umbau seiner politischen Weltanschauung zur Folge, der sich vor allem in diesem Roman widerspiegelt, dessen wesentlicher Gehalt der Kampf von demokratischer und faschistischer Ideologie um die Seele eines moralisch anständigen Durchschnittsdeutschen ist.

Hier erscheint nach langer Pause in der deutschen Literatur zum erstenmal die demokratische Ideologie in einer kämpferischen Rolle und nicht bloß als Objekt einer böswilligen und voreingenommenen Kritik. In Thomas Manns Roman bleibt der Kampf unentschieden; deshalb hätte er freilich stark zukunftsweisend wirken können, denn das Remis im Duell der Weltanschauungen enthält eine wichtige und fruchtbare Kritik der Demokratie; wo der Vertreter der demokratischen Ideologie bei der konventionellen Fassung seiner politischen Weltanschauung, also ungefähr auf dem Niveau der Wirklichkeit von Weimar stehenbleibt, wird er von der sozialen Demagogie seines Gegners immer geschlagen.

Freilich gibt es in Thomas Manns »Zauberberg« eine Fülle ironischer Vorbehalte. Das Buch ist allzu zurückhaltend in seinen Stellungnahmen, um in derart aufgeregten Zeiten sofort ins Breite zu wirken. Dieser Umstand wird noch durch die Form des Romans gesteigert. Thomas Mann gibt hier in seiner leisen Art etwas für die deutsche Literatur sehr Wichtiges: nämlich eine auflösende Selbstkritik der sozialen Raum- und Zeitlosigkeit der deutschen Literatur der imperialistischen Periode. Hier wird bewußt die Handlung in ein künstlich isoliertes Milieu verlegt. Die Menschen sind zwar von ihrer sozialen Psychologie bestimmt, stehen aber außerhalb ihrer normalen gesellschaftlichen Bindungen. Damit entsteht ein ironisches Symbol der Gesellschaftsschilderung im deutschen Imperialismus. Da es aber zugleich ein konkretes und sinnfällig geschildertes Milieu, die Welt eines Schweizer Sanatoriums ist, lenkt der Vordergrund den Leser und zuweilen auch den Verfasser von der fein versteckten Hauptfrage ab.

Der Druck der Reaktion verstärkte sich von Jahr zu Jahr. Und die Anhänger von Weimar haben, statt in der radikalen Demokratisierung Deutschlands eine Stärkung zu suchen und dadurch das Volk für die Republik zu begeistern, es an ihr zu interessieren, Schritt für Schritt ein »staatsmännisches« Zurückweichen vor der Reaktion bewerkstelligt und dadurch die Volksentfremdung Weimar gegenüber immer mehr verstärkt.

Die offiziellen, herrschenden Tendenzen der »neuen Sachlichkeit«, die als Richtung den absterbenden Expressionismus ablöste, sind inhaltlich und stilistisch durch eine solche Depressionsatmosphäre bestimmt. Müdigkeit und Unglaube, Verzicht auf Wirksamkeit in einer seelen- und sinnlosen Welt werden durch Ironie als geistige Überlegenheit ausgegeben. Diese Grundzüge der neuen Sachlichkeit verkörpern sich beispielgebend etwa in Erich Kästners »Fabian«. Man sieht hier, daß die geistig-weltanschaulichen Schranken des Naturalismus unüberwunden bestehen bleiben. Die ironischen Autorkommentare können das Fehlen eines objektiven Welthorizonts nicht ersetzen. Von diesen Grundlagen aus konnte die »neue Sachlichkeit« weder der deutschen Literatur noch dem deutschen Volk wesentliche Werte bringen.

Trotzdem wäre es eine grobe Übertreibung, wenn wir diese Richtung für wirkungslos hielten; sie hatte auf die ganze vorfaschistische Kampfperiode zwischen Fortschritt und Reaktion einen geradezu ausschlaggebenden stilistischen Einfluß. Denn jene große Krise des Weimarer Systems, die Hitlers Machtergreifung voranging, war auch literarisch ein Wettrüsten der beiden Lager. In der linken Literatur entstand – sowohl in der bürgerlichen wie in der proletarischen – eine ideologische Abwehrbewegung gegen die anrückende Reaktion, für die Schaffung eines freien Deutschlands. Es ist verständlich, daß die junge Literatur der deutschen Arbeiterklasse, Bredel, Marchwitza, Weinert, Wolf und andere, an Gegebenes anknüpft. Ihre Anfangsproduktion ist so weitgehend vom Berichtsstil der »neuen Sachlichkeit« bestimmt, freilich ohne die hier modische selbstauflösende Ironie. Sosehr diese Literatur hierdurch ideologisch und moralisch gewonnen hat, so ist sie zugleich auch künstlerisch reizloser, trockener. Die größere Lebendigkeit der Erzählungen Adam Scharrers beruht darauf, daß er stilistisch mehr an ältere naturalistische Traditionen anknüpft.

Die asketische Trockenheit im Künstlerischen wird in der revolutionären deutschen Berichtsliteratur nicht durch die Wucht der dargelegten Tatsachen, durch das Gewicht der inhaltlichen Wahrheit ausgeglichen. Vor allem weil die Ausrichtung der proletarischen Schriftsteller auf den baldigen Sturz der kapitalistischen Gesellschaft durch eine sozialistische Revolution sie die wesentlichsten konkreten Probleme auch im deutschen Arbeiterleben nicht klar erkennen läßt. Diese Literatur bringt zwar thematisch manches Neue ins deutsche Schrifttum, aber ihre Darstellungshöhe reicht nicht aus, um damit in breiten Kreisen selbst innerhalb der Arbeiterklasse starken und unmittelbaren Eindruck zu erzielen. Ein weiteres Hemmnis ist, daß im Widerspruch zum formalen Berichtsstil die meisten dieser Bücher inhaltlich in einer Welt spielen, nicht wie sie in Wahrheit ist, sondern wie sie nach der Meinung der Autoren sein soll. Wünsche und Hoffnungen der Schriftsteller werden in die Wirklichkeit hineinprojiziert und in den literarischen Berichten die Kräfteproportionen im deutschen Klassenkampf und in den Richtungskämpfen der Arbeiterklasse verzerrt widergespiegelt.

Nicht so einfach ist es bei den anderen linksradikalen Schriftstellern. Es herrscht bei ihnen eine tiefe und berechtigte Unzufriedenheit mit der Literatur der Gegenwart, vor allem mit dem Roman als dem Genre, das in der bürgerlichen Literatur seit Jahrhunderten führend ist. Alfred Döblin wendet sich scharf gegen die gangbaren Konventionen des Erzählens, die eine rein fiktive, niemanden interessierende und innerlich bewegende Welt hinstellen. Er fordert eine Rückkehr vom Roman zur Epik: zur Darstellung dessen, was für die Menschen wesentlich ist. Aber seine vielfach richtige Kritik geht wiederum an der zentralen Schwäche der deutschen Romane (der deutschen Literatur) vorbei, an dem Mangel eines organischen Zusammenhangs von gesellschaftlichen und individuellen Momenten in der Menschendarstellung und Handlungsführung, an ihrer abstrakten »Zeitlosigkeit«. So wird hier nochmals bloß eine Form einer andern gegenübergestellt, ohne die Grundlage der falschen Formgebung, die Frage nach dem sozialen Gehalt, ernsthaft kritisch zu untersuchen. Und in der Tat trifft Döblins großer Roman aus der Arbeiterwelt, »Berlin Alexanderplatz«, die Wirklichkeit nur in einzelnen privatmoralischen, psychologischen Beobachtungen. Und auch hier kommt er den brennenden Problemen der Epoche und des Tages nie wirklich nahe. Mit den vollkommen neuen Mitteln des Surrealismus entsteht ein altes, ja fast banales Ergebnis: wie ein aus dem Gefängnis entlassener Arbeiter durch verschiedene harte Schicksalsschläge endlich auf den Weg der individuell legalen Anständigkeit zurückgeführt wird.

Prinzipieller und gründlicher wird das Problem der Wege und Ziele der Literatur vom Kreis des Lyrikers und Dramatikers Bertolt Brecht aufgeworfen. Sein Angriff richtet sich viel zentraler geradezu gegen die ganze Kunst. Solche Angriffe haben in der bürgerlichen Gesellschaft bei der tiefen gesellschaftlichen Problematik ihrer

Literatur unzweifelhaft einen hohen Grad der Berechtigung; man denke nur an Tolstois Kritik an der Kunst. Auch Brecht geht von der menschlichen Unwürdigkeit des üblichen Kunstbetriebs aus. Er schreibt über die Wirkung der Oper: »Herausstürzend aus dem Untergrundbahnhof, begierig, Wachs zu werden in den Händen der Magier, hasten Erwachsene, im Daseinskampf erprobte und unerbittliche Männer an die Theaterkassen. Mit dem Hut geben sie in der Garderobe ihr gewohntes Benehmen, ihre Haltung ›im Leben‹, ab, die Garderobe verlassend, nehmen sie ihre Plätze mit der Haltung von Königen ein. Soll man ihnen dies übelnehmen? Man brauche, um dies lächerlich zu finden, nicht die königliche Haltung der käsehändlerischen vorzuziehen. Die Haltung dieser Leute in der Oper ist ihrer unwürdig. Ist es möglich, daß sie sie ändern?«

Brecht nennt die »magische« Wirkung, die hier ironisch beschrieben wird, hart und grob das »Kulinarische«, um mit diesem Terminus aus der Kochkunst jeden Kunstgenuß, jedes Nacherleben einer künstlerisch gestalteten Menschenwelt zu diffamieren. Indem er auf die unwürdige Diskrepanz zwischen dem Leben des modernen Menschen und den Wirkungen der landläufigen modernen Kunst hinweist, kommt er in der beabsichtigten Tendenz in eine bestimmte Parallele zu dem, was an Tolstois Kunstkritik berechtigt ist. Der Unterschied beleuchtet wieder die typisch deutsche literarische Lage, der sich auch ein so scharfsinniger und begabter Schriftsteller wie Brecht nicht entziehen konnte. Tolstoi kritisiert nämlich den Inhalt der modernen Literatur, ihre Menschen und Konflikte; die Form nur insofern, als ihre modernen Erscheinungsweisen die Kunst vom Volksleben isolieren. Auch Brecht geht von dem luftleeren Raum aus, der die Kunst seiner Gegenwart umgibt, auch er will die Schranken zwischen der Kunst und dem gesellschaftlichen Leben durchbrechen, um aus der Literatur wieder einen Teil der »sozialen Pädagogik« zu machen. Aber diese berechtigte Kritik geht allzu rasch, allzu direkt in die der formalen Darstellungsweise über. Brecht glaubt, eine »radikal neue« Kunst habe völlig andersgeartete Ausdrucksmittel nötig, um die Unwürdigkeit und die soziale Schädlichkeit des »Kulinarischen« in der Kunst (vor allem in der dramatischen) aufzuheben, um ihr ihre notwendige soziale Funktion wiederzugeben. So geht auch Brechts Kritik am sozialen Gehalt vorbei und macht aus der erwünschten gesellschaftlichen Erneuerung der Literatur ein – freilich interessantes und geistreiches – Formexperiment.

Je näher die Entscheidung der Krise nahte, ob Deutschland der Barbarei des Faschismus verfallen oder imstande sein werde, ein gesundes und freies nationales Dasein zu führen, desto allgemeiner wurden abstrakte Theorien der »Endkrise der bürgerlichen Gesellschaft« und der mit dieser Krise fälschlicherweise in Zusammenhang gebrachten Endkrise der bestehenden literarischen Formen. Die Allgemeinheit dieser Fragestellung zeigt sich darin, daß solche Anschauungen auch die extremen Vertreter der rechten Strömungen und noch mehr die zwischen Rechts und Links schwankenden Schriftsteller erfassen. Es versteht sich, daß die Kritik der bürgerlichen Gesellschaft hier, wenn sie auch in manchen Einzelfällen subjektiv ehrlich ist, vielfach objektiv unter dem Einfluß der sozialen Demagogie des Faschismus steht. Immerhin ist das Vorhandensein solcher Tendenzen in den Kreisen der extremen Rechten ein Symptom sowohl für die Tiefe der Krise wie für die Tatsache, daß die Schriftsteller ihren politischen Inhalt nicht verstanden.

Wieder möge ein Beispiel genügen. Ernst Jünger schreibt: »Der vielbeklagte Niedergang der Literatur bedeutet nichts anderes, als daß eine veraltete literarische Fragestellung ihren Rang verloren hat. Ganz ohne Zweifel besitzt heute ein Kursbuch größere Bedeutung als die letzte Ausfaserung des einmaligen Erlebnisses durch den bürgerlichen Roman.« Und auch bei Jünger ist die Verwerfung der Kunst nur eine Folge seiner Verwerfung der bürgerlichen Gesellschaft, die bei ihm freilich von völlig falschen Voraussetzungen ausgeht. Er stellt die Zukunftsgestalt des Arbeiters der bürgerlichen Gesellschaft gegenüber und fordert, daß der Arbeiter »zu dieser Gesellschaft nicht im Verhältnis des Gegensatzes stehe, sondern in dem der Andersartigkeit«. Wir haben diese Anschauungen nur als Krisensymptome angeführt, denn es liegt im Wesen der reaktionären Literatur, daß solche Tendenzen in ihr nur eine outsiderhafte Bedeutung erlangen können, wie ja auch bei Jünger diese ganze »radikale Gesellschaftskritik« nur dazu führt, das Ideal des Rosenbergschen »heroischen Realismus« zu bejahen.

7

Faschismus und Antifaschismus

Der Hitlerfaschismus ist wie ein verheerendes Gewitter über die deutsche Kultur gerast. Was dabei alles zerstört, wie weit Deutschland durch Hitler in seiner geistigen Entwicklung zurückgeworfen wurde, wird erst ganz zu übersehen sein, wenn nach dem unvermeidlichen Zusammenbruch des Naziregimes die seelisch-geistige, die moralisch-kulturelle Rekonstruktion Deutschlands beginnt. Alexander Herzen hat treffend über die Folgen der Niederschlagung des Dekabristenaufstandes von 1825 gesagt, daß, indem man die Dekabristen »aus dem Verkehr zog«, das geistige Niveau des zaristischen Rußlands wesentlich sinken mußte. Nun hat Hitler mit einer Energie und Systematik, die ihresgleichen in der Weltgeschichte nicht hat, die fortschrittlichen Kräfte des geistigen Deutschlands »aus dem Verkehr gezogen«. Es ist der verhältnismäßig unschuldigste Teil dieser Zerstörung der deutschen Kultur, daß die ausschlaggebende Mehrheit ihrer geistigen Führer, angefangen von Thomas Mann und Albert Einstein, aus der Heimat gehen mußten. Sie haben sich in der Fremde weiterentwickelt und damit auch die progressiven Überlieferungen des vorfaschistischen Deutschlands auf ein höheres Niveau erhoben. Sie wurden jedoch für die Menschen in Deutschland »aus dem Verkehr gezogen« – und das besagt nicht wenig.

Die im Land gebliebenen Kämpfer für ein besseres Deutschland wurden viel radikaler zum Verstummen gebracht. Sie verschwanden gleich anfangs in den Konzentrationslagern, in den Gestapo-Kellern, in denen viele von ihnen bestialisch ermordet wurden. Ein großer Teil der tapfersten unterirdischen Vorkämpfer gegen Hitlers Obskurantismus endete auf dem Schafott oder am Galgen. Wie viele in Vernichtungslagern wie Maidanek bei Lublin und Auschwitz ihr Ende fanden, ist heute noch unübersehbar.

Aber auch die auf freiem Fuß gebliebenen Schriftsteller haben die Freiheit ihrer literarischen Äußerung verloren. Es wäre falsch, die Unterdrückung des Wortes im Hitler-Deutschland mit irgendeiner anderen reaktionären Despotie der Vergangenheit gleichzusetzen. Diese hatten immer Lücken und Ritzen, die die freiheitsliebende Opposition für sich ausnutzen konnte und auch ausgenutzt hat. (Man denke an Heines erfolgreiche Kämpfe gegen die Zensur der Heiligen Allianz.) Die Hitlersche »Gleichschaltung« ist die bisher vollendetste Unterdrückung jeder Meinungsäußerung. Sie funktionierte fast so tadellos wie die Giftgaskammern in Maidanek. Das Hitler-Regime unterwarf jedes geschriebene oder gesprochene literarische Wort seiner Kontrolle. Es schwang die Hungerpeitsche der totalen Vernichtung ihrer materiellen Existenz über allen, die sich den Geboten der Goebbels-Propaganda nicht fügsam unterwarfen. Es machte das Öffentlichwerden jeder Kritik unmöglich und versuchte auch, alle Ansätze, in Anspielungen, Allegorien usw. verborgen gegen das Hitler-Regime auch nur zu frondieren, im Keim zu ersticken.

Nach dem altbewährten Bismarckschen System wurde die Peitsche der »Gleichschaltung« durch das Zuckerbrot der Korruption ergänzt. Der deutsche Faschismus hatte unter den angesehenen deutschen Schriftstellern nur eine äußerst geringe Anzahl von Anhängern. Seine – mittelmäßigen, oft unter dem Mittelmaß stehenden – Handlanger, die Blunck, Johst usw., wurden an die Spitze der

Literatur gestellt und mit einem riesigen Aufwand an Reklame als Führer des angeblichen neuen Aufschwungs der deutschen Literatur verherrlicht.

Gefährlicher für die Literatur war, daß manche nicht unbegabte, aber charakterschwache Schriftsteller den systematischen Korruptionsbestrebungen des Hitlerismus erlagen. So Hans Carossa und andere.

Trotz solcher »Erfolge« muß festgestellt werden, daß der Apparat der »Gleichschaltung« nur annähernd so gut funktionierte wie die direkten Mordinstitutionen Hitlers. Die »Gleichschaltung« hat nicht jene Früchte getragen, die Hitler und Goebbels von ihr erwarteten. Man kann eben eine Literatur bis zum Verstummen und bis ins innere Verderben terrorisieren und korrumpieren, man kann aber nicht einmal eine wirksame Propagandaliteratur mit diktatorischen Befehlen aus dem Boden stampfen. Die offizielle faschistische Kritik klagte auch stets darüber, daß die Schriftsteller den wesentlichen Aufgaben des Tages auswichen, daß sie in eine Thematik flüchteten, die mit diesen Fragen nichts zu tun habe; mit anderen Worten, daß die Literatur den Goebbelsschen Propagandabefehlen nicht so bereitwillig gehorche, wie dies die faschistischen Machthaber wünschten.

Ein solches Ausweichen, eine solche Flucht war der nächstliegende Weg für die ehrlichen Schriftsteller, um ihre Menschenwürde, ihre literarische Integrität und Begabung zu wahren. Besonders beliebt war naturgemäß die Flucht in die Geschichte. Freilich hat der Hitlerismus auch die Geschichte »rassisch« gefälscht und überall ein Vorläufertum der »nationalsozialistischen Revolution«, des neuen imperialistischen Aggressorentums in die deutsche Geschichte hineingedeutet und hineingelogen. Und er fand auch Handlanger, die diese offizielle Linie auf dem Gebiet der historischen Thematik durchführten (zum

Beispiel Blunck). Für die wirklichen Schriftsteller dagegen bedeutete die Geschichte ein Dickicht, in dem sie vor den Spürhunden der »Gleichschaltung« Deckung finden konnten. Die Goebbels-Propaganda rügte deshalb diese Flucht in die Geschichte mit scharfen Worten.

Hans Leips Roman »Das Muschelhorn« zum Beispiel zeigt die positiven und negativen Seiten einer solchen Flucht in die Geschichte auf einem nicht unbeträchtlichen literarischen Niveau. Es ist eine niederdeutsche Familiengeschichte aus der Zeit vor und während der Reformation. Leip zeigt sich ziemlich frei von den faschistischen Geschichtsfälschungen. Sogar vom Zusammenhang der großen Kunst, der hohen Ideologie dieser Zeit mit den demokratischen Strömungen, die im Bauernkrieg explodierten, hat er eine Ahnung. Das wirklich Historische aber tritt bei ihm fast ganz zurück hinter der vorwiegend stimmungshaften Milieuschilderung, der oft wirklich gut geratenen psychologischen Darlegung rein privater Schicksale. So hat sein Buch bei aller Echtheit des Zeitkolorits zugleich etwas »Zeitloses« im typisch neudeutschen Sinn. In dem hier zutage tretenden geistigen Naturalismus liegt die zentrale Schwäche seines Werks. Schicksale, die objektiv nur aus der historischen Lage verständlich werden können, verschwimmen in einem Hell-Dunkel, weil die Zeitströmungen für den Verfasser nur so weit vorhanden sind, als die Gestalten sie zu rezipieren vermögen. So konnte nur ein lesenswerter, aber kein bedeutender historischer Roman entstehen.

Diese Schwäche, der wir seit dem Naturalismus überall begegnet sind, gewinnt jedoch unter dem Faschismus einen interessanten, symptomatischen Akzent. Sie bleibt weiter eine Schwäche, aber gerade sie gibt den echten Schriftstellern, die vor der Hitler-Ideologie nicht kapitulieren wollen, zu einem wirklichen Widerstand gegen sie jedoch zu schwach sind, die Möglichkeit, durch eine rettende Mimikry Schriftsteller zu bleiben, ohne sich faschistisch zu prostituieren und zugleich ohne Verfolgungen ausgesetzt zu sein. Daß also eine ideologisch-künstlerische Schwäche eine Schutzfarbe für die Literatur werden konnte, zeigt zwar den Willen zum Widerstand bei einem Teil der Schriftsteller, aber zugleich die Wehrlosigkeit dieses Widerstandes. Es ist bei aller kritischen Beurteilung dieser Stil- und Denkungsart zu hoffen, daß die Zahl jener deutschen Schriftsteller beträchtlich ist, die sich auf diese Weise für eine bessere Zukunft bewahrt haben.

Wie tief die Schwäche eines solchen geistigen Naturalismus in der deutschen Literatur wurzelt, zeigt das Beispiel von Ernst Wiechert. Wiechert ist – in der Frage des Bekenntnis-Christentums – männlich und mutig aufgetreten und war sogar einige Zeit in einem Konzentrationslager. Auch schriftstellerisch verheimlicht er viel weniger als die meisten seiner Schicksalsgenossen, daß er mit der faschistischen Ideologie nicht einverstanden ist. In seinem Roman »Die Majorin« polemisiert Wiechert mit guten schriftstellerischen Mitteln gegen die faschistische Legende, als ob das »Fronterlebnis« des ersten Weltkriegs die Grundlage einer neuen moralischen Erhebung gewesen wäre. Er gestaltet im Gegenteil schön und überzeugend, wie dieses »Fronterlebnis« eine moralische Zersetzung bewirkt. So gelungen einzelne moralisch-psychologische Teile seines nach modern deutscher Sitte ebenfalls »zeitlos« gehaltenen Buches sind, sowenig vermag er, selbst auf moralischem Gebiet, eine wenn auch versteckt wirksame Polemik zu führen. Die gesellschaftlich-dichterische Wirkung seines entsagungsvollen Pietismus ist viel zu schwach; seine Stimme verhallt kraftlos im Orkan der Barbarei.

Unglücklicher noch ist das literarische Schicksal von Hans Fallada. Er war in der Vor-Hitler-Zeit, besonders durch seinen Roman »Kleiner Mann – was nun?«, eine der größten Hoffnungen der deutschen Literatur. Es wäre mehr als ungerecht, wollte man Fallada vorwerfen, er habe vor dem Hitlerismus kapituliert oder seine Schriftstellerehre preisgegeben. Aber seine quantitativ sehr ausgiebige Produktion in der Hitler-Zeit hat keine der Erwartungen, die er vorher erweckte, erfüllt. Nicht nur deshalb, weil er manches sehr schlechte Buch geschrieben hat, sondern weil er auch dort, wo er offenbar alle Kräfte zusammennahm (»Wolf unter Wölfen«), eine ihm früher fremde Tendenz zum Ausweichen vor den letzten Konsequenzen, ja mitunter sogar eine Neigung zur Verniedlichung ernster Probleme zeigt. (Am deutlichsten in »Kleiner Mann, großer Mann – alles verkehrt«.) Dies geht nicht ausschließlich auf Kosten des politischen Drucks, der Rücksichten auf die Zensur usw. »Wolf unter Wölfen« spielt in der Inflationszeit, und die faschistischen Machthaber hätten gegen eine Kritik der Weimarer Periode nichts eingewendet, auch wenn diese noch so scharf gewesen wäre. Es scheint vielmehr, daß Fallada jene innere Gefühlssicherheit, die er – zwar ohne geklärte und gefestigte Anschauungen – in seiner Gesellschaftskritik anfangs hatte, unter dem lastenden Druck der faschistischen Atmosphäre verloren hat. Darauf weist auch eine zuweilen auftretende Flucht ins Sonderliche hin (»Altes Herz geht auf die Reise«), die – wie wir es bei dem dichterisch weitaus bedeutenderen und moralisch stärkeren Raabe sehen können – in Deutschland stets ein Symptom der ideologischen Wehrlosigkeit gegen übermächtige, ungünstige und innerlich abgelehnte Zeitströmungen gewesen ist.

Als man nach der Terrorzeit der Großen Französischen Revolution den Abbé Sieyès fragte, was er in dieser

Periode gemacht habe, soll er geantwortet haben: »J'ai vécu.« Das ist das günstigste Ergebnis ihrer Tätigkeit, dessen sich die besten und literarisch ehrlichsten Schriftsteller Hitler-Deutschlands rühmen können. Das ist nicht wenig. Denn Schriftsteller, die ihre geistige, moralische und literarische Integrität bewahrt haben, können in der Wiedergeburt eines freien Deutschlands noch eine große und fruchtbare Rolle spielen. Es ist aber sehr wenig, was die deutsche Literatur im Kampf gegen die reaktionäre Vergiftung, gegen das abenteuerliche Zugrunderichten des deutschen Volkes geleistet hat.

Ein Weg zur Erneuerung müßte also vor allem in dem Schaffen jener Schriftsteller gesucht werden, die als Protest gegen die Hitler-Diktatur außer Landes gingen und von dort den Kampf gegen die faschistische Barbarei führten. Hier ist die Möglichkeit gegeben, aus der Krise mit ihrer tiefsten Erniedrigung des deutschen Volkes durch dichterisches Aufdecken ihres Wesens, ihrer Geschichte, ihrer Ursachen, ihrer Wurzeln im historisch gebildeten deutschen Volkscharakter selbst zu einer Umkehr zu kommen. Die bisherigen Bemerkungen zeigen, daß wir keineswegs eine abermalige »literarische Revolution« meinen, wenn wir von den Schriftstellern fordern, einen grundsätzlichen Wandel in ihrer bisherigen Weltanschauung vorzunehmen und sich nicht nur von der Naziideologie als solcher, sondern auch von jeder reaktionären Betrachtungsweise abzukehren.

Die erste Reaktion der antifaschistischen Literatur auf Hitlers Machtergreifung war verständlicherweise die Entlarvung jener Greueltaten vor der ganzen zivilisierten Welt, die der siegreiche Faschismus begangen hat. Es entsteht die sogenannte Konzentrationslager-Literatur. Sie gibt mit Wahrheitsliebe Tatsachen aus der faschistischen Hölle, entlarvt die Massengrausamkeit, mit der die »friedliche« Machtergreifung Hitlers in Wirklichkeit vollzogen wurde. Sie hatte auch verdientermaßen eine große Wirkung auf die öffentliche Meinung der fortschrittlichen Welt. Aber diese Literatur ist im wesentlichen publizistisch: gut zusammengefaßte und gruppierte Berichte über Tatsachen. Weder die Bestialität der Henker noch der passive Heroismus ihrer Opfer werden dichterisch erhellt, werden aus den gesellschaftlich-menschlichen Quellen des hier offenbar gewordenen Bösen und Guten im deutschen Volkscharakter schriftstellerisch deutlich gemacht.

Viel schwächer, viel weiter auch von der Wahrheit der Fakten, noch mehr von der tieferen Wahrheit der neuen historischen Lage Deutschlands entfernt ist die Mehrzahl der Schriftwerke, die frontal gegen den Faschismus anstürmen und es unternehmen, die faschistische Herrrschaft als allgemein deutsches Phänomen aufzudecken. Allerdings gibt es hier ganz außerordentliche objektive Schwierigkeiten. Die Schriftsteller leben seit Jahren außerhalb Deutschlands. Was sie über die Vorgänge in Deutschland wissen, ist spärlich und durch Vermittlungen in Erfahrung gebracht. Dazu kommt als wesentliches Hindernis, daß bei vielen der klare Blick für die faschistische Wirklichkeit oft durch Wunschbilder verdeckt wird, die sie sich von den Vorgängen in ihrer Heimat machen. Vor allem wirkt sich hier das Vorurteil schädlich aus, als ob der Faschismus nur eine kleine Clique erfaßt und über ein Volk geherrscht habe, das in seiner Mehrheit gegen die Tyrannen eingestellt sei, die Kämpfer gegen die Hitler-Diktatur mit warmen Sympathien begleite und mit Sehnsucht auf den Tag warte, wo es das faschistische Joch abwerfen könne. Dieses Vorurteil – keineswegs nur auf die Literatur beschränkt – ist durch Erfahrungen dieses Krieges vernichtend widerlegt worden. Die künstlerisch schädliche Wirkung der Wunschvorstellungen wird noch gesteigert durch eine grundfalsche, abstrakte Auffassung des historischen Optimismus. Jede kämpferische Literatur muß unerschütterlich an den Endsieg ihrer Sache glauben, will sie gestalterisch durchschlagskräftig sein. In diesem Sinne ist jede echte Kampfliteratur notwendig optimistisch. Wenn jedoch der unerschütterliche Glaube an die Unvermeidlichkeit des Endsieges dahin führt, daß der notwendige Triumph des Guten über das Böse, des Fortschritts über die Reaktion auf jeder einzelnen Etappe aufgezeigt werden muß, so führt dies zu einer vollständigen Verzerrung der inneren und äußeren Kräfteproportionen, zu einer Verfälschung der Wirklichkeit und damit zu einer Vernichtung der kämpferisch aufrüttelnden Wirkung. Die revolutionären Schriftsteller älterer Zeiten wußten das dichterische Gleichgewicht zwischen Unvermeidlichkeit des Endsieges und notwendigen (individuellen) Niederlagen in Einzelgefechten genau zu halten. Das stärkste Kampfdrama des Antifeudalismus, des Antiabsolutismus in Deutschland, »Kabale und Liebe«, endet mit der Niederlage und dem Tod beider Helden. Und der große russische demokratische Kritiker Dobroljubow nennt den verzweiflungsvollen Selbstmord der Heldin von Ostrowskijs Drama »Das Gewitter« »einen Lichtstrahl im Reiche der Finsternis«.

Darum ist es kein Zufall, daß die Opfer des Faschismus viel wirksamer gestaltet werden als die aktiven Kämpfer, besonders wenn es sich um Kinder und Halbwüchsige handelt, die zum Kampf gegen den Faschismus unfähig sind. (Zum Beispiel Bernhard Oppenheim bei Feuchtwanger.) Eine gewisse Verbindung zu dieser Gruppe haben einige ausgezeichnete Szenen und Skizzen

Bertolt Brechts, »Furcht und Elend des Dritten Reiches«, in denen die moralische Zersetzung im deutschen Alltagsleben durch den Faschismus packend geschildert wird.

Bei der dichterischen Gestaltung der deutschen Gesellschaft im Faschismus, der Machtergreifung der Nazis und ihrer Herrschaft wirkt sich sehr schädlich aus, daß die Schriftsteller die Proportion der Kräfte in Deutschland, die Tiefe der Volksvergiftung durch den Hitlerismus unrichtig sehen und nicht verstehen, wie dieses von ihnen nicht begriffene allgemeine Phänomen im deutschen Volk überhaupt zustande kam. Feuchtwanger entlarvt schon vor der Machtergreifung in seinem »Erfolg« glücklich die Hohlheit und das Komödiantentum von Hitler und seiner Propaganda, das Verbrecherische seiner Praxis. Aber selbst hier, wo nur die ersten Anfänge, die Periode bis zum Münchener Putsch von 1923, dargestellt werden, bleibt die Wirkung Hitlers selbst auf einen kleinen Teil der Münchener Bevölkerung unverständlich. Dies ist noch stärker fühlbar im satirisch-historischen Roman »Der falsche Nero«. Er gibt eine treffende satirische Beschreibung Hitlers und seiner Umgebung, schildert richtig seine Abhängigkeit von den drahtziehenden Geldmagnaten, aber die Massenbewegung, die die Hitler-Figur – der falsche Nero – entfacht, ist in ihren Ursachen nicht begreiflich gemacht.

Selbst der weitaus beste Roman über das faschistische Deutschland, »Das siebte Kreuz« von Anna Seghers, leidet unter solchen Schwächen. An Bildhaftigkeit der einzelnen Situationen, an innerer Wahrheit der dargestellten Menschen beider Lager hat Anna Seghers Außerordentliches geleistet. Und doch kommt auch sie oft nicht über die Schilderung sinnlicher oder psychologischer Zuständlichkeiten hinaus, in denen sich freilich ihre ungewöhnliche Energie der Vergegenwärtigung plastisch zeigt. Das tiefe Warum des Kampfes, das Herauswachsen seines gesellschaftlichen Sinnes aus individuellen Erlebnissen, Zusammenhängen, Konflikten lebendiger Einzelmenschen bleibt auch hier von einem – dichterisch allerdings hochwertigen – Schleier verhüllt.

Ein richtiger literarischer Instinkt führt schon vor der Machtergreifung Hitlers zu einer Welle von historischen Romanen. Der Instinkt ist richtig, denn die Geschichte Deutschlands, des deutschen Volkes, der Entwicklung des deutschen Menschen in den von ihm selbst geschaffenen, dann aber für ihn zum Schicksal gewordenen Lebensbedingungen und sein Kampf mit diesen Bedingungen, das ist unzweifelhaft ein Stoff, dessen richtige Behandlung zur Enthüllung des Warum der faschistischen Vergiftung des deutschen Volkes führen müßte. Aber die Schranke der Abstraktion in der deutschen Literatur tritt hier noch schärfer zutage. Die Mehrzahl jener historischen Romane steht mit wichtigen ideologischen Fragen des faschistischen Komplexes in enger Beziehung. Wenn der Kampf von Vernunft und Unvernunft, von Licht und Finsternis in verschiedenen historischen Gestalten verkörpert erscheint, so ist mit Recht in der Geschichte, durch Vermittlung der Geschichte die deutsche Gegenwart gemeint und getroffen. Indes nur abstrakt. Diese Abstraktion drückt sich gleich in der für die historische Dichtung ausschlaggebenden Thematik aus. Es gibt ganz wenige antifaschistische historische Romane, die in der deutschen Geschichte ihren Stoff suchen – und dies in einer Zeit, in der die Goebbelssche Propaganda-Fabrik die ganze deutsche Geschichte von Historikern und Schriftstellern für die Zwecke des Faschismus umfälschen läßt. Freilich ist die deutsche Geschichte arm an revolutionären, ja auch an entschieden fortschrittlichen

Geschehnissen. Aber die von antifaschistischen Schriftstellern gestalteten Cervantes und Flavius Josephus, Columbus und Servet stehen zu dem deutschen Volksschicksal in so weiten und dichterisch unvermittelbaren Zusammenhängen, daß auch die am klügsten erdachte, am wirksamsten gruppierte historische Darstellung an der konkreten Wahrheit der gegenwärtigen Epoche vorbeigehen muß.

Heinrich Manns »Henri Quatre« hat mit dieser zufälligen Thematik nichts gemein. Er ist eine lebendige und wirksame Kontrastgestalt zur konkret historischen deutschen Misere und darum zu ihrer teuflischen Aufgipfelung in der faschistischen Herrschaft. Die lebendige Gegenüberstellung des freien Frankreichs zum geknechteten Deutschland ist eine alte und gute deutsche literarisch-revolutionäre Tradition aus der Zeit vor 1848. Dies hat seine konkreten historischen Gründe in der Geschichte beider Völker, denn, wie Friedrich Engels einmal gezeigt hat, ist Deutschland jahrhundertelang an denselben politischen Aufgaben gescheitert, die Frankreich fortschrittlich zu lösen vermochte. So besteht ein realhistorischer Grund, der sich aus der konkreten deutschen Geschichte ergibt und es Heinrich Mann möglich macht, den politisch-moralischen Prinzipien des Faschismus eine positive, leuchtende Gegengestalt, die Gestalt eines wirklichen Führers zur Befreiung des Volkes gegenüberzustellen. (In der deutschen Literatur vor dem Kriege nimmt die Garibaldi-Gestalt Ricarda Huchs eine ähnliche Stelle ein.)

Aus der deutschen Geschichte bringt Thomas Mann ebenfalls eine führende und positive Gestalt zur Darstellung in seinem Goethe-Roman »Lotte in Weimar«. Die wunderbar lebendige, menschlich-unstilisierte und doch jederzeit große Gestalt Goethes hat für die Klärung der heute aktuellen Probleme eine weit über das bloß Literarische, ja selbst Dichterische hinausgehende Bedeutung. Schon Jahrzehnte vor dem Faschismus beginnt die Fälschungsarbeit an der deutschen Geschichte und die Verzerrung Goethes zu einem Führer ins Unsoziale und spießbürgerlich Antipolitische, ja später zum Führer in eine mystifizierte Reaktion. Thomas Mann bewegt sich also auf einem Boden, auf dem ein ideologischer Kampf zwischen Fortschritt und Rückschritt ausgetragen wird. Indem Thomas Mann – wir wiederholen: ohne historische und psychologische Stilisierung – Goethe als eine leuchtende Gestalt der Vorwärtsentwicklung der Menschheit zeigt, legt er den Grund dazu, die originär deutschen Kräfte der Freiheit und des Fortschritts freizusetzen.

Fontane sagt einmal, der echte historische Roman müsse innerhalb des Erlebnishorizonts der ältesten noch lebenden Generation liegen. Ohne den allgemeinen Wahrheitsanspruch dieser Behauptung zu erörtern, muß festgestellt werden, daß wir das, was der eigentliche historische Roman nicht geleistet hat, in einzelnen Schilderungen der Periode des ersten Weltkrieges und seiner sozialpsychologischen Vorgeschichte wiederholt finden. Nämlich: wie der faschistische Mensch aus den deutschen Bedingungen herauswuchs, wieso die besten Vertreter von Fortschritt und Humanismus wehrlos gegen sein Vordringen gewesen sind. Dieses zweite Moment ist das Neue an einer solchen Thematik. Denn Heinrich Manns »Untertan« und Thomas Manns »Tod in Venedig« kann man bereits als große Vorläufer jener Tendenz betrachten, die die Gefahr einer barbarischen Unterwelt innerhalb der modernen deutschen Zivilisation als ihr notwendiges Komplementärprodukt signalisiert haben.

Die konkrete Aufdeckung der ideologisch-moralischen Wehrlosigkeit der besten Deutschen autoritär-tyrannischen Hypnosen gegenüber hat ebenfalls bei Thomas Mann ein dichterisches Vorspiel noch vor der Machtergreifung Hitlers. Wenn in der Novelle »Mario und der Zauberer« der Herr aus Rom sich der Suggestion nicht unterwerfen will, ihr aber trotzdem nach kurzem Widerstand erliegt, deckt Thomas Mann fein und scharfsinnig auf, wo die psychisch-moralischen Gründe dieser Niederlage zu suchen sind. Der Herr aus Rom will nicht, vermag aber dem positiven Willen des Zauberers nur ein bloßes Nein entgegenzustellen, und Thomas Mann zeigt, daß die reine Negation, die reine Defensive auch in der Verteidigung keine echte Widerstandskraft hat, daß der in Taten verkörperten Macht der Finsternis und des Bösen eine inhaltlich positive Kraft des Guten entgegengestellt werden muß, wenn eine Aussicht auf Erfolg bestehen soll.

Reich entfaltet wird das Motiv der deutschen Wehrlosigkeit in Arnold Zweigs Kriegsromanen aus dem ersten imperialistischen Krieg behandelt. Der Zyklus beginnt schon vor dem Faschismus, jedoch erst das Durchleben der bitteren Erfahrungen der Hitler-Herrschaft gab der Gesellschaftsbetrachtung Arnold Zweigs die volle Einsicht und Reife. »Erziehung vor Verdun« und »Einsetzung eines Königs« zeigen diese Galerie der ideologisch wehrlosen Deutschen unvergleichlich klarer und kritisch tiefer als die früheren Romane. Auch begnügt sich Zweig nicht mit dieser reichen Darstellung eines zentralen deutschen Schicksalsproblems. Er zeichnet auch mit tiefer sozialpsychologischer Einsicht den Typus jener ehrlichen und leidenschaftlichen deutschen Intellektuellen, die bei aller Klugheit, Ehrlichkeit und Bildung in einem solchen Grad apolitisch ist, daß er von den eigenen seelisch-moralischen Voraussetzungen aus ebenso Faschist wie Antifaschist werden könnte. Er zeigt auch, wie unter den Bedingungen des preußischen Militarismus aus normalen Kleinbürgern widerliche sadistische Verbrecher herangezüchtet werden.

Johannes R. Bechers Deutschland-Lyrik bringt – parallel mit Thomas Manns Goethe-Roman – zum erstenmal in der neuesten deutschen Literatur die innige Verbundenheit des besten Deutschtums mit den Ideen des Fortschritts zum Ausdruck. Sie mobilisiert aus der deutschen Geschichte, aus der besten deutschen Psyche jene Kräfte, die geeignet sind, einen inneren Sieg über die faschistische Vergiftung zu erringen: Liebe zu Deutschland, Gefühl für die Heimat, für das Glück aller Menschen in ihr. Haß und Verachtung gegen den Faschismus erhalten also hier einen konkreten und deutschen Ausdruck. Bechers Roman »Abschied« zeichnet die Entwicklung der jungen Menschen Deutschlands in der Zeit vor dem ersten imperialistischen Weltkrieg, aber schon aus der Perspektive der Erfahrungen der faschistischen Periode. Das, was im »Untertan« als fertige Reinkultur der wilhelminischen Zeit dargestellt wird, die barbarische Unterwelt der Periode der »Sekurität«, bildet hier den Mittelpunkt eines heftigen ideologischen Ringens mit den vorhandenen seelischen Gegenkräften. Becher zeigt, wie die psychologischen Keime der faschistischen Unmenschlichkeit im deutschen Menschen der wilhelminischen Periode gesellschaftlich großgezüchtet werden, wie ein innerer Kampf, der freilich nur erfolgreich werden kann, wenn er die ganze Ideologie des Menschen von Politik bis zur Moral und Ästhetik erfaßt, wenn er positive, demokratische und zugleich deutsche Ziele hat, gegen diese Kräfte der Finsternis entfacht werden muß.

In diese Gruppe der Darsteller der inneren Vorgeschichte des Hitlerismus gehören auch die Werke von Oskar Maria Graf und Adam Scharrer.

Die Erfahrungen, Erlebnisse und Erkenntnisse, die durch Hitlers Aggressionskrieg und sein Scheitern herausgelöst wurden, zerreißen alle Vorurteile und Illusionen, die im Lager des Antifaschismus über Deutschland gehegt wurden. Ein hartes Umlernen muß in der fortschrittlichen deutschen Literatur vor sich gehen. Dieses Umlernen äußert sich freilich unter den Bedingungen des unmittelbaren Entscheidungskampfes mehr publizistisch als dichterisch. Eine wirkliche Übersicht, wie die Erfahrungen des Hitlerkrieges, des ideologisch-moralischen Zusammenbruchs des Hitler-Systems, auf die deutsche Literatur konkret eingewirkt haben, kann heute noch nicht gegeben werden. Diese Literatur ist einerseits erst im Entstehen begriffen, andererseits ist uns unter den Bedingungen des Krieges erst ein kleiner Teil von ihr bekannt. Aus den uns bekanntgewordenen Werken sei Bechers Deutschland-Dichtung besonders hervorgehoben.

Die Befreiung Deutschlands rückt in eine immer größere Nähe. Die Aufgabe der inneren Wiedergeburt des deutschen Volkes wird immer dringlicher eine Forderung des Tages für alle ehrlichen deutschen Patrioten. Die deutsche Literatur hat in diesem Erweckungswerk eine gewaltige Aufgabe zu erfüllen: das deutsche Volk aus seinem bisher tiefsten politischen, moralischen und ideologischen Verfall ins zivilisierte, ins menschliche Leben zurückzuführen. Dieser selbstverschuldete Absturz des deutschen Volkes kann nur mit den Mitteln der unerbittlichsten Selbsterkenntnis, der schonungslosen Selbstkritik gutgemacht werden. Hier hat die deutsche Literatur eine große Sendung, in der sie, wenn es ihr gelingt, ihr Volk zur Wiedergeburt zu erwecken, selbst auch wieder zur alten Größe erweckt werden kann. Becher hat als Erlebnis der eigenen dichterischen Aufgabe diese allgemeine Sendung der deutschen Literatur ausgesprochen:

Großes, Großes war mir aufgetragen:
Meines Irrtums Reste zu zerschlagen
Und mich über mich kühn zu erheben,
Ein gewandelt Bild euch vorzuleben.

Großes, Großes war mir aufgetragen:
Meines Volkes Feinde anzuklagen
Und in meinen Taten und Gedichten
Sie zu richten, ewig zu vernichten.

Großes, Großes war mir aufgetragen:
Auszuschauen nach den künftigen Tagen,
Noch verborgen in den Wolkenhüllen –
Und des Volkes Willen zu erfüllen.

I. Fortschritt und Reaktion in der deutschen Literatur
Erstdruck in: Internationale Literatur, Nr. 8–9, 1945, S. 82–103; Nr. 10, S. 91–105.
Buchveröffentlichung: Aufbau-Verlag, Berlin 1945, 2. A. 1947, 3. A. 1950.

II. Die deutsche Literatur im Zeitalter des Imperialismus, Abriß ihrer Hauptströmungen
Erstdruck in: Internationale Literatur, Nr. 3, 1945, S. 53–65; Nr. 4, S. 62–68; Nr. 5, S. 70–84.
Buchveröffentlichung: Deutsche Literatur während des Imperialismus, eine Übersicht ihrer Hauptströmungen, Aufbau-Verlag, Berlin 1945, 2. A. o.J., 4. A. Deutsche Literatur im Zeitalter des Imperialismus, 6. A. 1950.
Beide Aufsätze erschienen zunächst gemeinsam ungarisch unter dem Titel: Az újabb német irodalom rövid története, ungarisch von G. Endre, Athenaeum-Verlag, Budapest 1946.
Französische Ausgabe: Brève histoire de la litérature allemande du XVIIIe siècle à nos jours, französisch von L. Goldmann und M. Butor, Collection Pensées, Edition Nagel, Paris 1949.
Japanische Ausgabe: Doitsu Bungaku-Shoshi, japanisch von T. Doke und T. Obase, Iwanamishotem, Tokio 1951.
Deutsche Ausgabe: Skizze einer Geschichte der neueren deutschen Literatur. Aufbau-Verlag, Berlin 1953, 2. A. 1955, 3. A. Luchterhand-Verlag, Neuwied und Berlin 1963.
Italienische Ausgabe: Breve storia della letterature tedesca dal Settencento ad oggi, italienisch von C. Cases, Einaudi, Turin 1956.

Inhalt

Georg Lukács bei Luchterhand

Band 2: Frühschriften II. Geschichte und Klassenbewußtsein. 733 S. Leinen

Band 4: Probleme des Realismus I. Essays über Realismus. 678 S. Leinen

Band 5: Probleme des Realismus II. Der russische Realismus in der Weltliteratur. 576 S. Leinen

Band 6: Probleme des Realismus III. Der historische Roman. 642 S. Leinen

Band 7: Deutsche Literatur in zwei Jahrhunderten. Goethe und seine Zeit, Deutsche Realisten des 19. Jahrhunderts, Thomas Mann. 628 S. Leinen

Band 8: Der junge Hegel. Über die Beziehung von Dialektik und Ökonomie. 703 S. Leinen

Band 9: Die Zerstörung der Vernunft. 758 S. Leinen

Band 10: Probleme der Ästhetik. 811 S. Leinen

Band 11 und 12: Ästhetik I: Die Eigenart des Ästhetischen. 1820 S. 2 Halbbände, Leinen

Band 16: Frühe Schriften zur ÄsthetikI. Heidelberger Philosophie der Kunst (1912-1914). 248 S. Leinen

Georg Lukács bei Luchterhand

Die Zerstörung der Vernunft

Band 1:
Irrationalismus zwischen den Revolutionen.
272 S. SL 132

Band 2:
Irrationalismus und Imperialismus.
210 S. SL 138

Band 3:
Irrationalismus und Soziologie.
292 S. SL 146

Ästhetik. In vier Teilen. Teil 1: 248 S., SL 63; Teil 2: 299 S., SL 64; Teil 3: 216 S., SL 70; Teil 4: 280 S., SL 71.

Geschichte und Klassenbewußtsein. Studien über marxistische Dialektik. 513 S., SL 11

Die Seele und die Formen. Essays. Sonderausgabe. 256 S., SL 21

Solschenizyn. 89 S., SL 28

Die Theorie des Romans. Ein geschichtsphilosophischer Versuch über die Formen der großen Epik. 145 S., SL 36